崇文館
家庭典藏

崇文国学经典普及文库

豪放词

韩凌◎注析

長江出版傳媒
崇文书局

豪放词

图书在版编目（CIP）数据

豪放词 / 韩凌注析 .
—武汉 ：崇文书局，2017.1
（崇文国学经典普及文库）
ISBN 978-7-5403-4265-4
Ⅰ．①豪…
Ⅱ．①韩…
Ⅲ．①豪放派－词（文学）－作品集－中国－古代②豪放派－词（文学）－注释－中国－古代
Ⅳ．① I222.844
中国版本图书馆 CIP 数据核字（2016）第 251384 号

出 品 人 潘启胜

统　　筹 陈中琼
责任编辑 陈中琼　万山红
出版发行 长江出版传媒 | 崇文书局
地　　址 武汉市雄楚大街 268 号 C 座 11 层
电　　话 (027)87293001　邮政编码　430070
印　　刷 中印南方印刷有限公司
开　　本 889×1194　1/32
印　　张 6
字　　数 132 千字
版　　次 2017 年 1 月第 1 版
印　　次 2017 年 1 月第 1 次印刷
定　　价 21.80 元
（如发现印装质量问题，影响阅读，请与承印厂调换）

总序

现代意义的“国学”概念，是在19世纪西学东渐的背景下，为了保存和弘扬中国优秀传统文化而提出来的。1935年，王缁尘在世界书局出版了《国学讲话》一书，第3页有这样一段说明：“庚子义和团一役以后，西洋势力益膨胀于中国，士人之研究西学者日益众，翻译西书者亦日益多，而哲学、伦理、政治诸说，皆异于旧有之学术。于是概称此种书籍曰‘新学’，而称固有之学术曰‘旧学’矣。另一方面，不屑以旧学之名称我固有之学术，于是有发行杂志，名之曰《国粹学报》，以与西来之学术相抗。‘国粹’之名随之而起。继则有识之士，以为中国固有之学术，未必尽为精粹也，于是将‘保存国粹’之称，改为‘整理国故’，研究此项学术者称为‘国故学’……”从“旧学”到“国故学”，再到“国学”，名称的改变意味着褒贬的不同，反映出身处内忧外患之中的近代诸多有识之士对中国优秀传统文化失落的忧思和希望民族振兴的宏大志愿。

从学术的角度看，国学的文献载体是经、史、子、集。崇文书局的这一套国学经典普及文库，就是从传统的经、史、子、集中精选出来的。属于经部的，如《诗经》《论语》《孟子》《周易》《大学》《中庸》《左传》；属于史部的，如《战国策》《史记》《三国志》《贞观政要》《资治通鉴》；属于子部的，如《道德经》《庄子》《孙子兵法》《鬼谷子》《世说新语》《颜氏家训》《容斋随笔》《本草纲目》《阅微草堂笔记》；属于集部的，如《楚辞》《唐诗三百首》《豪放词》《婉约词》《宋词三百首》《千家诗》《元曲三百首》《随园诗话》。这套书内容丰富，而分量适中。一个希望对中国优秀传统文化有所了解的人，读了这些书，一般说来，犯常识性错误的可能性就很小了。

崇文书局之所以出版这套国学经典普及文库，不只是为了普及国学常识，更重要的目的是，希望有助于国民素质的提高。在国学教育中，有一种倾向需要警惕，即把中国优秀的传统文化“博物馆化”。“博物馆化”是20世纪中叶美国学者列文森在《儒教中国及其现代命运》中提出的一个术语。列文森认为，中国传统文化在很多方面已经被博物馆化了。虽然中国传统的经典依然有人阅读，但这已不属于他们了。“不属于他们”的意思是说，这些东西没有生命力，在社会上没有起到提升我们生活品格的作用。很多人阅读古代经典，就像参观埃及文物一样。考古发掘出来的珍贵文物，和我们的生命没有多大的关系，和我们的生活没有多大关系，这就叫作博物馆化。“博物馆化”的国学经典是没有现实生命力的。要让国学经典恢复生命力，有效的方法是使之成为生活的一部分。崇文书局之所以强调普及，深意在此，期待读者在阅读这些经典时，努力用经典来指导自己的内外生活，努力做一个有高尚的人格境界的人。

国学经典的普及，既是当下国民教育的需要，也是中华民族健康发展的需要。章太炎曾指出，了解本民族文化的过程就是一个接受爱国主义教育的过程："仆以为民族主义如稼穑然，要以史籍所载人物制度、地理风俗之类为之灌溉，则蔚然以兴矣。不然，徒知主义之可贵，而不知民族之可爱，吾恐其渐就萎黄也。"(《答铁铮》)优秀的传统文化中，那些与维护民族的生存、发展和社会进步密切相关的思想、感情，构成了一个民族的核心价值观。我们经常表彰"中国的脊梁"，一个毋庸置疑的事实是，近代以前，"中国的脊梁"都是在传统的国学经典的熏陶下成长起来的。所以，读崇文书局的这一套国学经典普及读本，虽然不必正襟危坐，也不必总是花大块的时间，更不必像备考那样一字一句锱铢必较，但保持一种敬重的心态是完全必要的。

期待读者诸君喜欢这套书，期待读者诸君与这套书成为形影相随的朋友。

陈文新

（教育部长江学者特聘教授，武汉大学杰出教授）

前言

我国古人对于世间万物之殊，每以阴阳共相观之。豪放与婉约的风格之分，便也缘于此。

“豪放”一词进入文学批评领域，本以论诗，传为唐末司空图所作的《二十四诗品》，专列有“豪放”一品。而以“豪放”评词，恰恰是被视为豪放派领袖的北宋苏轼之创举。其《与陈季常书》云：“又惠新词，句句警拔，诗人之雄，非小词也。但豪放太过，恐造物者不容人如此快活。”到明人张綖于《诗馀图谱·凡例》按语中谈到：“词体大略有二：一体婉约，一体豪放。婉约者欲其词调蕴藉，豪放者欲其气象恢宏。然亦存乎其人，如秦少游之作，多是婉约；苏子瞻之作，多是豪放。”可以说这是对“豪放”与“婉约”作了词学风格上的明确区分。但这样的二分法并不能涵盖所有的词作，更不能绝对化，而只是在于揭示其美学与风格学上的意义。同样，即使是婉约派词人，如李清照，也有豪放之词；而豪放派词人，如苏轼，也有婉约之作。本书中不“因人废词”，对前一种状况也有收录，此处不多作举例。

豪放词在题材、内容上，较之晚唐五代以婉约为代表的词，约有如下变化：一、抒发志向、襟怀，表现人生感触和兴亡之慨。二、从爱情、闲情向性情推扩，向友情转移，兼而向更广阔的生活及大自然抒情提升。三、表现了对祖国半壁河山沦陷的痛苦和对中原人民的同情，以及对妥协政策的愤懑，含有强烈的爱国主义情绪。但这只是括而言之，每首豪放词都有其题材、内容、表现手法上的特点，不一而足，这里无法一一说明。

历来词话家对于豪放词的批评，一来，是因为词自诞生之初，向以柔丽为宗，以婉约为正，而以豪放为变，崇正抑变为主流，婉约的潜势力强大；二来，在于认为豪放词多不协音律，这种指责始于苏轼以其所作转变词坛风气之后，略显片面，因为无论苏轼还是辛弃疾，都精谙音律，“但豪放不喜剪裁以就音律”罢了，不能以此作为评判诗词的唯一标准。

全书共收唐五代以迄近代的词人五十余人，词作近百首。以作者生平年代先后为序，分作者介绍、原词、注释、赏析四部分。作者介绍只出现于其第一首词中，包括作者的生卒年、字号、籍贯、仕历、创作、词集著述等内容。原词以通行本作底本，若有重要异文者，一般在注释中注出。注释以注明人物、典故为主，重要典故并引录原文、征引事例，兼训诂文字。赏析部分酌采历代评家词话，综合词的文学结构特点，适当融会作者生活及历史背景。为了便于读者更好地了解词意，本书于注释部分较为详密，而赏析作为一己之得，见仁见智，相信各位读者会有自己更个性、更高超的见解，因而也就稍略。

由于编者水平有限，若有不当之处，还请读者诸君批评指正。

contents

目录

目录

目录

李　白

李白(701—762年),字太白,号青莲居士。祖籍陇西成纪(今甘肃秦安),流寓碎叶(今吉尔吉斯斯坦境内)。出生地有蜀中、西域诸说,尚无定论。少居绵州昌隆(今四川江油)青莲乡。二十五岁时辞亲远游。唐天宝元年,诏征入京,供奉翰林。后因权贵谗毁,愤然离职去京。安史乱起,受永王李璘召入幕府,后坐罪流放夜郎,中道遇赦还。卒于当涂。其诗各体均工,尤擅乐府、绝句,风格豪放,想象丰富,代表了盛唐诗歌的最高成就。相传李白共作词18首,以《菩萨蛮》(平林漠漠烟如织)、《忆秦娥》(箫声咽)最为著名,黄昇推为"百代词曲之祖"(《唐宋诸贤绝妙词选》卷一)。但后人颇疑非其所作。

菩萨蛮[①]

平林漠漠烟如织[②],寒山一带伤心碧[③]。
暝色入高楼[④],有人楼上愁。
玉阶空伫立[⑤],宿鸟归飞急[⑥]。何处是归程，长亭更短亭[7]。

【注释】

①本为唐教坊曲，用作词调。有说其本为古缅甸乐，唐玄宗开元、天宝年间(713－756年)传入中国。

②平林：林木之在平地者，见《诗经·小雅》毛传。漠漠：广远密布的样子。

③伤心：形容“非常”、“很”，如唐杜甫诗《滕王亭子》：“清江锦石伤心丽。”

④暝色：暮色。

⑤玉阶：白石台阶。

⑥宿鸟：寻觅栖巢的鸟。

⑦长亭、短亭：北周庾信《哀江南赋》云：“十里五里，长亭短亭。”旧时于城外五里置短亭，十里置长亭，为行人休憩之所。

【赏析】

暮色苍茫，登高远眺。远处青黛的山川，密布的树林，伴着渐暗的天色，扑面向楼上人压来，不禁使其愁从中来。感怀身世，望着掠空而过的归巢飞鸟，思乡之情更浓。而这还乡的途程，也不知道隔着多少的山山水水、长亭短亭。

此词以“有人楼上愁”一句为中心，由远及近，又由近及远，前主景，后主情，章法严密，文思流畅。近人俞陛云评此词云：“以词论格，苍茫高浑，一气回旋。”(《唐五代两宋词选释》)

韦应物

韦应物(约737—约791年),京兆万年(今陕西西安)人。唐天宝中为玄宗侍卫,后游太学,折节读书。历任洛阳丞、比部员外郎、左司郎中,出为滁州、江州、苏州刺史等。世称韦左司、韦江州、韦苏州。为中唐前期著名山水田园诗人。与王维、孟浩然、柳宗元合称“王孟韦柳”。现存词四首。

调笑令①

胡马②,胡马,远放燕支山下③。跑沙跑雪独嘶④,东望西望路迷。迷路,迷路,边草无穷日暮。

【注释】

①此调又名《古调笑》、《转应曲》、《三台令》等。

②胡马:西北少数民族地区所产良马。《古诗十九首·行行重行行》:“胡马依北风。”

③燕支山:又名焉支山、胭脂山,在今甘肃山丹东南,古代边防要塞。汉时在匈奴境内,匈奴失此山,作歌云:“失我焉支山,使我妇女无颜色。”(见《太平御览》卷七一九)

④跑：上声，以爪、蹄刨地。汉刘歆《西京杂记》卷四："马鸣蹋不肯定，以足跑地久之。"

【赏析】

原野苍茫，燕支山下，一匹失群的骏马在孤独地东西奔突。时而焦躁得悲啸西风，时而又以蹄刨地，沙雪飞扬。然而，边草连天，日渐西暮，路又在何方。本词表面上写马，却寓有作者于人生的慨叹。白居易即称韦应物"歌行，清丽之外，颇近兴讽"（《与元九书》）。

张志和

张志和(约741－775年),字子同,初名龟龄,号玄真子、烟波钓徒。金华(今属浙江)人。十六岁时即以明经擢第。唐肃宗令待诏翰林,并赐名志和。后坐事贬南浦尉,赦还,隐居会稽。有《渔父词》(一作《渔歌子》)五首,咏渔钓隐逸之乐,为早期文人词之名作。颜真卿、陆羽、柳宗元等均有和作,日本嵯峨天皇于弘仁十四年(823年)亦有和作五阕。有《玄真子》三卷。

渔父词(其一①)

西塞山前白鹭飞②,桃花流水鳜鱼肥③。
青箬笠,绿蓑衣④,斜风细雨不须归。

【注释】

①张志和《渔父词》共五首,此其一。余四首为:“钓台渔父褐为裘,两两三三舴艋舟。能纵棹,惯乘流,长江白浪不曾忧。”“霅溪湾里钓鱼翁,舴艋为家西复东。江上雪,浦边风,笑著荷衣不叹穷。”“松江蟹舍主人欢,菰饭莼羹亦共餐。枫叶落,荻花干,醉宿渔舟不觉寒。”“青草湖中月正圆,巴陵渔父棹歌连。钓车子,橛头船,乐在风波不用仙。”

②西塞山：在今浙江湖州市西。白鹭：鹭的一种，腿长，捕食鱼虾。亦名鹭鸶。

③鳜鱼：即花鲫鱼。桃花开谢时正是鳜鱼最肥美的汛期。

④箬笠：用箬竹叶制作的斗笠。蓑衣：用草或棕制成的雨衣。

【赏析】

在作者五首《渔父词》中，这一首于后世影响最大。就其意境而言，远处青山之间，白鹭掠过，近处桃花飘过，渔父端坐，斜风细雨，放舟烟波，自有一番乐不思归的情趣，与自由自在的万物相合。而就作者的身世来说，作者曾因获罪遭贬而隐居太湖，自号“烟波钓徒”。“斜风细雨不须归”也隐寓着作者归隐江湖，不愿仕途的生活志向。其兄松龄恐其遁世不返，和其词道：“太湖水，洞庭山，狂风浪起且须还。”即明此意。苏轼等亦尝以其成句用于《鹧鸪天》、《浣溪沙》。

刘禹锡

刘禹锡(772—842年),字梦得,洛阳(今属河南)人。唐贞元九年登进士第,授太子校书。后擢监察御史、屯田员外郎。因参与政治革新,贬官朗州司马。终官太子宾客,世称刘宾客。与柳宗元交谊最笃,世称"刘柳"。又与白居易并称"刘白"。其诗多反映时事政治及怀古感兴之作,刚健雄浑,白居易誉之为"诗豪"。其学习民歌所作《竹枝词》等,深得南朝乐府神髓,黄庭坚评为"元和间诚可以独步",于后世有广泛影响。有《刘梦得文集》行世,存词38首。

浪淘沙[①]

九曲黄河万里沙[②],浪淘风簸自天涯。
如今直上银河去,同到牵牛织女家[③]。

【注释】

①此调为唐教坊曲,用作词调。始创于唐玄宗开元年间(713—741年),见敦煌曲。今所存以中唐刘禹锡、白居易所作为最早。皆绝句体,咏调名本意。五代、宋又有《浪淘沙令》、《浪淘沙慢》,与此段相差甚远,而皆又名《浪淘沙》。

②九曲黄河:唐高适《九曲词·序》引《河图》:"黄河出昆仑山东北……

河水九曲，长九千里。”

③同到牵牛织女家：据《荆楚岁时记》载，汉武帝命张骞寻觅黄河源头，乘槎（木筏）至天上牵牛织女处。

【赏析】

九曲黄河，巨浪滔滔，挟沙而下，不见其首，亦不见其尾，自是从天涯而来。前两句破题，点明“浪淘沙”。接着用张骞寻找黄河源头，直至牵牛织女家的故事，从黄河写到银河，从人间写到天上，构思巧妙，比喻奇特，气魄宏大，表现出了充分的想象力。

牛　峤

牛峤(850?—920年?),字松卿,一字延峰。陇西(今属甘肃)人。唐宰相牛僧孺之孙。乾符五年(878年)进士。历官拾遗、补阙、校书郎。王建镇蜀,辟为判官,及开国,拜为给事中。词风香艳,近温庭筠,间有描写边塞景色之作。存词32首,见《花间集》,王国维辑为《牛给事词》。

定西番[①]

紫塞月明千里[②],金甲冷[③],戍楼寒,梦长安。

乡思望中天阔,漏残星亦残[④]。画角数声呜咽[⑤],雪漫漫。

【注释】

①唐教坊曲,用作词调。

②紫塞：晋人崔豹《古今注》卷上《都邑》："秦筑长城，土色皆紫，汉塞亦然，故称紫塞焉。"

③金甲：金属铠甲。

④漏：古代计时器。汉许慎《说文解字》："漏，以铜受水，刻节，昼夜百刻。"漏残：谓夜将尽，天将明。

⑤画角：古代乐器名。形如竹筒，本细末大，以竹木为之，外加彩绘，故名。发音高亢，军中多用以警昏晓，振士气。

【赏析】

此词从后蜀赵崇祚所编《花间集》中辑出，与集中他篇多描写男女情事不同，此作描写的是边塞乡愁。从其情调来看，近乎中唐李益等人的边塞七绝气氛。但作者此词以紫塞、戍楼、明月、飞雪等景物寄情，意境更显得阔大雄浑，虽悲凉而不绝望，虽凄冷而含温情。

毛文锡

毛文锡(生卒年不详),字平珪。高阳(今属河北)人,一说南阳(今属河南)人。唐太仆卿毛龟范子。14岁登进士第。前蜀时,历任中书舍人、翰林学士承旨,官至司徒。后蜀亡,随王衍降后唐。后又事后蜀,与欧阳炯等以小词为孟昶所赏,供奉内廷,时有"五鬼"之名。存词31首,见《花间集》,王国维辑为《毛司徒词》。

甘州遍①

秋风紧,平碛雁行低②,阵云齐③。萧萧飒飒,边声四起④,愁闻戍角与征鼙⑤。

青冢北⑥,黑山西⑦,沙飞聚散无定,往往路人迷。铁衣冷,战马血沾蹄,破蕃奚⑧。凤凰诏下⑨,步步蹑丹梯⑩。

【注释】

①唐教坊曲,有大曲名《甘州》,《甘州遍》即由《甘州》大曲摘编单行。

②碛(qì):沙漠,戈壁。

③阵云:浓厚的乌云。

④边声:边地的悲凉之声。汉李陵《答苏武书》云:"侧耳远听,胡笳互

动，牧马悲鸣，吟啸成群，边声四起。”

⑤角：胡角，古代西北游牧民族的乐器，多用作军号。鼙：军鼓。

⑥青冢：汉王昭君之墓，在今内蒙古呼和浩特市南。相传冢上草色常青，故名。

⑦黑山：在今呼和浩特东。

⑧蕃：通番。《周礼·秋官·大行人》：“九州之外，谓之番国。”奚：东胡族。此处都是对北方少数民族的泛称。

⑨凤凰诏：皇帝的诏书，又叫凤诏。

⑩蹑：登。丹梯：即丹陛、丹墀，古代宫殿前的石阶，因漆成红色，故名。

【赏析】

本词描写边塞战争场面，表达了建功立业的愿望，在五代词中别具一格。词中通过在边地的所见所闻，把战场的阔大场面、边地的奇特景象、恶劣的自然环境，与战士们英勇杀敌、建功立业的豪情壮志联系起来，既写出了战争的残酷性，又表达了戍边战士的必胜信念。

敦煌曲子词

20世纪初，敦煌鸣沙山第288石窟被打开，从中发现了沉埋了千年之久的两万余卷珍贵文献，即所谓敦煌卷子。其中整理出来的唐五代词曲，被称为敦煌曲子词。它们大多是民间作品，写定年代与《花间集》的编定相先后，多不可考，大约多在晚唐五代间。近人王重民所编《敦煌曲子词集》，共收录有词161首。

生查子[1]

三尺龙泉剑[2]，匣里无人见。落雁一张弓[3]，百支金花箭。

为国竭忠贞，苦处曾征战。先望立功勋，后见君王面。

【注释】

①唐教坊曲，用作词调，又名《楚云深》、《绿罗裙》等。查，通“楂”，一说

通“槎”。

②龙泉：宝剑名。《晋书·张华传》云：“斗牛之间，常有紫气，（张）华闻雷焕妙通纬象，即补焕为丰城令。焕到县掘狱屋基得双剑，一曰龙泉，一曰太阿。其斗牛间气不复见矣。”

③落雁弓：指良弓。《国语·魏语》载：“更盈侍魏王，见一雁过，曰：‘臣能遥弓而落雁。’乃弯弓向雁，雁即落。”

【赏析】

此词具有民间作品的一般特点：语言晓畅明白，风格清新质朴。它表现了守边战士不畏艰苦，忠心报国的豪情壮志。宝剑在匣，弓箭在背，征战四方，建功立业，可见一股昂扬的斗志与爱国情怀，整首词有很强的艺术感染力。

李　煜

李煜(937—978年),五代南唐后主。中主李璟第六子。公元961—975年在位。字重光,初名从嘉,自号钟隐、钟山隐士、钟峰隐者、钟峰白莲居士等。徐州(今属江苏)人。建隆二年(961年)初,立为太子。六月即南唐国主位。开宝八年(975年),国亡,降宋,封违命侯。宋太宗太平兴国三年(978年)被毒死。能诗善文,以词著名。其词以降宋为界,前期多写宫廷享乐生活,后期多抒发亡国之痛。王国维评曰:"词至李后主,眼界始大,感慨遂深,遂变伶工之词而为士大夫之词。"(《人间词话》)后人将其词与李璟(中主)词合刻为《南唐二主词》。

破阵子

四十年来家国[①],三千里地山河[②]。凤阁龙楼连霄汉,玉树琼枝作烟萝。几曾识干戈?

一旦归为臣虏,沈腰潘鬓消磨[③]。最是仓皇辞庙日[④],教坊犹奏别离歌。垂泪对宫娥。

【注释】

①四十年来家国:南唐自立国至亡国,历三代,共三十九年的时间。

②三千里地山河:南唐立国后,定都金陵,鼎盛时拥有东南三十五州,占地三千里。

③沈:沈约。潘:潘岳。

④庙:宗庙,设置先祖牌位以供祭祀的场所。

【赏析】

从一国之君到阶下之囚,李后主前后的心理落差之大,恐怕是我们这些外人都无法揣量的。此词上片追忆繁华盛事,气势雄沉;下片一落千丈,直写眼前不堪:上下片反差极大,强烈地表达出了词人内心的无奈和失落。生在帝王家,不可避免地要一力承担国家兴亡的责任。耽于游乐歌舞,每日填词作曲,虽有词名留世,却难免误了国家,误了自己。李后主若有事后之见,未知何去何从?!

柳　永

柳永(约987—约1053年),原名三变,字景庄,更名永,字耆卿。因排行第七,故又称柳七。崇安(今属福建)人。早年应试不第,长期居留京城,与歌伎乐工相过从,为之填词,作品广为流传,以至人称“凡有井水饮处皆能歌柳词”。景祐元年(1034年)登进士第,官至屯田员外郎,后世因称“柳屯田”。精通音律,倾其一生精力于作词,其词承上启下,开一代风气。作品题材广泛,尤擅羁旅行役、离情别绪,长于铺叙白描笔法,对词曲发展影响甚巨。有《乐章集》传世,存词212首。

望海潮[1]

东南形胜,三吴都会[2],钱塘自古繁华[3]。烟柳画桥,风帘翠幕,参差十万人家。云树绕堤沙。怒涛卷霜雪,天堑无涯[4]。市列珠玑,户盈罗绮,竞豪奢。

重湖叠巘清嘉[5]。有三秋桂子,十里荷花。羌管弄晴,菱歌泛夜[6],嬉嬉钓叟莲娃[7]。千骑拥高牙[8]。乘醉听箫鼓,吟赏烟霞。异日图将好景[9],归去凤池夸[10]。

【注释】

①此调首见《柳永集》中。此词咏钱塘胜景,调名当是以钱塘作为观潮胜地取意。此词之作,为柳永从崇安往汴京应试,路过杭州时拜谒世谊前辈两浙转运使孙何(今人或以为孙何为孙沔之误)的赠献之词。

②三吴:北魏郦道元《水经注·浙江水》谓吴兴郡、吴郡、会稽郡“世号三吴”。一作“江吴”。

③钱塘:今浙江杭州。

④天堑:天然的壕沟。《南史·孔范传》:“长江天堑,古来限隔。”此处指钱塘江。

⑤重湖:西湖以白堤为界,分为外湖、里湖,故云。叠巘:重叠的山峰。

⑥羌管:羌笛。此处泛指各种乐器。菱歌:采菱曲。此处泛指各种歌曲。

⑦莲娃:采莲女。

⑧千骑句:汉朝时太守出行,以“千骑”为仪仗。宋代州郡长官兼知州军事,相当于汉朝的太守,故以千骑为言。牙:牙旗,将军用的旗帜。

⑨图:绘、画。这里作动词用。

⑩凤池:即凤凰池,代指中书省,此处泛指朝廷。本句祝孙氏早日升官。

【赏析】

此词采用赋体,层层铺叙,形象地描绘了钱塘江大潮的壮观、西湖景色的秀丽,以及杭州的富庶繁华。读此词,宛若打开一幅杭州风光画长卷,有身临其境、美不胜收之感,一股承平气象跃然而出。“此词流播,金主亮闻歌,欣然有慕于三秋桂子、十里荷花,遂起投鞭渡江之志。”(罗大经《鹤林玉露》卷一)将金人侵宋归结为两句词,固不足信,但士大夫流连于荷艳桂香,或为士气颓敝之始,可见此词之艺术魅力。

范仲淹

范仲淹(989－1052年),字希文。苏州吴县(今属江苏)人。宋大中祥符八年(1015年)中进士,官历司理参军、秘阁校理、吏部员外郎、陕西经略副使等。庆历三年(1043年)授参知政事,与富弼、欧阳修等推行"庆历新政",未果,出为河东陕西宣抚使。卒谥文正。《四库全书总目提要》称其"人品事业卓绝一时","其论著非虚饰词藻者所能比"。有《范文正公集》传世。

渔家傲[1]

秋思[2]

塞下秋来风景异,衡阳雁去无留意[3]。四面边声连角起[4]。千嶂里[5],长烟落日孤城闭。

浊酒一杯家万里[6],燕然未勒归无计[7]。羌管悠悠霜满地。人不寐,将军白发征夫泪。

【注释】

①又名《吴门柳》、《水鼓子》等。不见于唐人所作，《词谱》卷十四云："此调始自晏殊，因词有'神仙一曲渔家傲'句，取以为名。"

②宋魏泰《东轩笔录》卷十一云："范文正公守边日，作《渔家傲》乐各数阕，皆以'塞下秋来'为首句，颇述边镇之劳苦。"范仲淹于宋仁宗康定元年（1040年）任陕西经略副使兼知延州，守边四年。此词为当时所作。

③衡阳雁去：即"雁去衡阳"。雁儿向衡阳飞去，毫不留恋荒凉的西北地区。宋王象之《舆地纪胜》卷五："（回雁峰）在（衡阳）州城南。或曰：'雁不过衡阳。'"

④边声句：见本书毛文锡《甘州遍》注。

⑤千嶂：指重叠连绵的山峰。

⑥浊酒：古人以米酿酒，乳白色，故称"浊酒"。

⑦燕然句：意没有建立破敌的功劳，不能回家。燕然：山名，今蒙古杭爱山。《后汉书·窦宪传》载窦宪追击匈奴北单于，"登燕然山，去塞三千馀里，刻石勒功"而还。勒：刻。

【赏析】

此词意境高况，情调悲壮。上片描绘塞外秋景，一个"异"字，与下句"无留意"相呼应，点出塞外非征人长留之地；而"千嶂里，长烟落日孤城闭"，脱胎于王维"大漠孤烟直，长河落日圆"、王之涣"一片孤城万仞山"，皆述边地孤苍之景。下片抒情，虽然思家心切，却唯有效汉将建功塞地，勒石而还；羌笛声中，更思及故乡。戍边之劳苦，可见一斑。欧阳修曾戏称之为"穷塞主词"。

张　昪

张昪(992－1077年),字杲卿,韩城(今属陕西)人。进士出身。宋仁宗时官至参知政事(副宰相)。无词集留世。

离亭燕

一带江山如画,风物向秋潇洒①。水浸碧天何处断,霁色冷光相射②。蓼屿荻花洲③,掩映竹篱茅舍。

云际客帆高挂,烟外酒旗低亚④。多少六朝兴废事⑤,尽入渔樵闲话。怅望倚层楼⑥,寒日无言西下。

【注释】

①风物句:形容秋天的景物萧疏爽朗,显得很清丽。杜甫《玉华宫》诗:“秋色正潇洒。”

②何处断:没有间断。霁:雨雪停止,天色放晴。此句谓天空的晴色和

秋水的冷光互相映照。

③蓼屿：蓼花丛生的水边高地。

④低亚：低压。

⑤六朝：吴、东晋、宋、齐、梁、陈都偏安江南，以建康（今江苏南京）为都，称六朝。

⑥层楼：一作“危楼”，都是高楼的意思。

【赏析】

此词黄昇《花庵词选》题孙浩然作。写的是南京一带江山秋高气爽的景色。后段结合怀古，增加了抒情的成分，词的风格亦因此得到提高。作者对六朝的兴亡持的是一种凭吊、伤感的态度，却也不失“悲壮”（杨慎《词品》评语）。

欧阳修

欧阳修(1007—1072年),字永叔,号醉翁、六一居士。吉州庐陵吉水(今江西吉安永丰)人。仁宗天圣八年(1030年)进士。曾参与编修《新唐书》,官至枢密副使,参知政事,以太子少师致仕,卒谥文忠。为唐宋八大家之一,北宋古文运动的领袖。“奖引后进,如恐不及”,曾巩、王安石、苏洵父子皆出其门。其理论主张与韩愈一脉相承。词存240余首,冯煦评为“疏隽开子瞻,深婉开少游”(《宋六十一家词选》)。著有《欧阳文忠公集》等。

朝中措

送刘原父出守维扬①

平山阑槛倚晴空②,山色有无中③。手种堂前垂柳④,别来几度春风。

文章太守，挥毫万字，一饮千钟。行乐直须年少，尊前看取衰翁[5]。

【注释】

①刘原父：刘敞（1019－1068 年），字原父。庆历六年（1046 年）进士。学问渊博，淹通经史。嘉祐元年（1056 年）出知扬州，此为作者送别之词。

②平山：即平山堂，在扬州西北蜀冈上，庆历八年（1048 年）欧阳修为郡守时所建。

③山色句：《苕溪渔隐丛话》后集卷二三引《艺苑雌黄》云："平山堂望江左诸山甚近……盖山色有无中，非烟雨不能然也。"

④手种句：《墨庄漫录》卷二："扬州蜀冈上大明寺平山堂前，欧阳文忠公手植柳一株，谓之欧公柳。公词所谓'手种堂前垂柳，别来几度春风'者。"

⑤衰翁：作者自指。

【赏析】

这是一首送别词。欧阳修于庆历八年（1048 年）知扬州，一年后移知颍州。他在扬州修建了平山堂，并手植杨柳。嘉祐元年（1056 年），刘敞出知扬州。在此送别词中，欧阳修追忆平山堂上凭栏远眺烟雨山色的景象，又想到自己手植之柳自别后又经几度春风，不免生出韶华易逝的感慨。刘敞向为欧阳修所重，在欧阳修所作《刘敞墓志铭》中云其"文辞典雅，各得其体"。"文章太守"三句也表现出了作者对刘的钦佩之情。最后作者以调侃的笔法劝勉刘敞要及时行乐。本词写得清旷豪放，别具一格，深为苏轼所喜爱。

王安石

王安石（1021－1086年），字介甫，晚号半山老人。抚州临川（今属江西）人，后移居江宁（今南京）。庆历二年（1042年）进士。熙宁二年（1069年）拜参知政事，积极推进新法。因新法遭受反对，出知江宁府。熙宁十年封舒国公，后改封荆国公，世称王荆公。卒谥文。为北宋诗文革新运动的中坚人物，唐宋八大家之一。强调文学的社会功用。词存二十余首，"一洗五代旧习"（刘熙载《艺概》）。有《临川集》一百卷传世。

桂枝香[1]

登临送目，正故国晚秋[2]，天气初肃[3]。千里澄江似练[4]，翠峰如簇[5]。征帆去棹残阳里[6]，背西风、酒旗斜矗。彩舟云淡，星河鹭起[7]，画图难足。

念往昔，繁华竞逐。叹门外楼头，悲恨相续[8]。千古凭高对此，漫嗟荣辱[9]。六朝旧事随流水，但寒烟衰草凝绿。至今商女，时时犹唱，《后庭》遗曲[10]。

【注释】

①此调首见王安石此词。

②故国：指金陵，南朝的旧都，今江苏南京市。

③肃：萧索。《汉书·礼乐志》："秋气肃杀。"

④千里句：南朝齐谢朓《晚登三山还望京邑》："澄江静如练。"练：白色的绢。

⑤簇：攒聚。

⑥征帆去棹(zhào)：来往的船只。

⑦星河鹭起：星河：天河，比喻长江；鹭起：南京西南长江中有白鹭洲。

⑧门外楼头句：杜牧《台城曲》："门外韩擒虎，楼头张丽华。"大意是，隋兵已临城下，陈后主和张丽华还在寻欢作乐。张丽华是陈后主宠爱的妃子。楼头：指她所住的结绮楼。韩擒虎是隋朝开国大将，率领部队从朱雀门入城，俘获陈后主、张丽华等，灭掉陈朝。悲恨相续：是说六朝亡国的悲恨相续不断。

⑨漫嗟荣辱：空叹兴亡。

⑩至今商女三句：杜牧《夜泊秦淮》："商女不知亡国恨，隔江犹唱《后庭花》。"商女：歌女。《后庭》：即《玉树后庭花》，《隋书·五行志》："祯

明初，后主作新歌，词甚哀怨，令后宫美人习而歌之。其辞曰：'玉树后庭花，花开不复久。'时人以为歌谶。此其不久兆也。"所以后人将其视作亡国之音。

【赏析】

此词黄昇《花庵词选》题作"金陵怀古"。前段以十分精细的笔法描绘金陵的壮丽景色，后段通过怀古抒情，概括兴亡盛衰的历史风云，感慨人们在嗟叹兴亡之余很少能从中吸取经验教训。这首词是宋代第一首成熟的怀古咏史词，格调高峻，笔力清遒，在同类词中独步一时。《历代诗馀》引《古今词话》云："金陵怀古，诸公寄调《桂枝香》者三十余家，独介甫最为绝唱。东坡见之叹曰：'此老乃野狐精也！'"

浪淘沙令

伊吕两衰翁[1]，历遍穷通[2]，一为钓叟一耕佣[3]。若使当时身不遇，老了英雄。

汤武偶相逢[4]，风虎云龙[5]，兴王只在笑谈中。直至如今千载后，谁与争功？

【注释】

①伊吕：指伊尹和吕尚二人。伊尹名挚，力耕于野，后受汤赏识，任以国政，佐汤灭夏桀，建立商朝。吕尚字子牙，姜姓，于渭水边隐居垂钓，后辅佐周文王、武王灭商纣，建立周朝。

②穷通：处境的困窘与顺利。

③钓叟：此指吕尚。耕佣：此指伊尹。

④汤武：汤即成汤，亦称天乙，商王朝的建立者；武即周武王，周朝的建立者。

⑤风虎云龙：如风从虎，如云从龙。比喻君主得到贤臣，臣子遇到明主的情况。

【赏析】

这是一首借咏史抒发作者个人在政治上自负之情的小令。上片主要写伊尹、吕尚二人的前半生，即所谓的“穷”；下片写其后半生，即所谓的“通”。发生这种转变的原因即在于“偶相逢”的机遇。时势造英雄。作者表面上在咏史，实则借古讽今，以伊、吕自况，抒发自己秉国政，行新法，建功业的政治抱负。

苏　轼

苏轼(1037－1101年),字子瞻,一字和仲,号东坡居士。眉州眉山(今四川眉山)人。苏洵之子。嘉祐二年(1057年)与弟苏辙中同榜进士。熙宁四年(1071年),因反对王安石新法而出为杭州通判。复因“乌台诗案”获罪,贬为黄州团练副使。宋哲宗时,旧党当权,召还为翰林学士。新党再度秉政后,又贬谪惠州,再贬儋州。卒谥文忠。唐宋八大家之一。文学创作成就极高,风格多样,文诗词俱为一代大家。且拓宽了词的内容,为词“不喜剪裁以就音律”,以豪放的词境一扫晚唐五代以来文人词的柔靡气息,构成了词坛崭新的气象。有《东坡乐府》等。

江城子[①]

密州出猎[②]

老夫聊发少年狂[③],左牵黄,右擎苍[④],锦帽貂裘[⑤],千骑卷平冈[⑥]。为报倾城随太守[⑦],亲射虎,看孙郎[⑧]。

酒酣胸胆尚开张[⑨],鬓微霜,又何妨!持节云中,何日遣冯唐[⑩]?会挽雕弓如满月[⑪],西北望,射天狼[⑫]。

【注释】

①分单调、双调两种，各有数体。双调即始于苏轼，为单调词之重叠，又名《江神子》、《村意远》。又有《江城子慢》，体格迥异。

②密州出猎：这是苏轼知密州第二年的事情。宋傅藻《东坡纪年录》谓此词乃"乙卯（1075 年）冬，祭常山回，与同官习射放鹰作"。

③老夫：苏轼时年三十九岁。

④黄：黄狗。苍：苍鹰。《梁书·张充传》："值充出猎，左手臂鹰，右手牵狗。"

⑤锦帽貂裘：锦蒙帽和貂鼠裘，汉代羽林军的服装。这里形容随猎者戎装鲜明。

⑥千骑卷平冈：千骑，见前柳永《望海潮》注⑧。卷：席卷。

⑦为报倾城随太守：意请为我告知全城的百姓，随我一起出猎。

⑧亲射虎，看孙郎：《三国志·吴志·孙权传》："（建安）二十三年（218 年）十月，权将如吴，亲乘马射虎于庱亭。马为虎所伤。权投以双戟，虎却废。常从张世，击以戈，获之。"

⑨酒酣胸胆尚开张：酒酣，酒喝得很多，兴致正浓时。胸胆开张：胸怀开阔，胆气极豪。尚：更。

⑩持节云中两句：据《史记·冯唐传》载汉文帝时魏尚为云中太守，能征善战，匈奴远避，不敢靠近。一度匈奴曾经侵入，魏尚亲率车骑阻击，所杀甚众。后因报功时文件上所载的杀敌数字与实际不符（少了六个首级），被系入狱。冯唐代为向汉文帝辩白，于是汉文帝派冯唐"持节"（带着传达命令的符号）去赦免了魏尚，官复原职。云中：汉代郡名，在今内蒙古自治区托克托县一带。作者在这里以守卫边疆的魏尚自期许，希望得到朝廷的信任。

⑪会挽雕弓如满月：弓的形状如半个月亮，射时把弦尽量拉开便成满

月形。会：当。

⑫射天狼：天狼：星名，古人以为天狼星主侵略。联系前文看，是以天狼喻西夏（它在西北方）。《楚辞·九歌·东君》："举长矢兮射天狼。"

【赏析】

宋仁宗、神宗时期，主要的军事威胁来自辽国和西夏。虽然宋廷与他们先后订立了退让的和约，北宋的边境却仍旧受到严重的威胁。此词借写出猎，体现了作者抵抗外敌的强烈决心。值得注意的是，在作者同时期写的一首《祭常山回小猎》诗中也说道："圣明若用西凉簿，白羽犹能效一挥。" 意思正同。苏轼的这种思想与王安石新法里加强国防的措施是一致的。而作者对打猎场景的描写，气概豪迈，笔力恣肆，有声有色，使人有身临其境的感觉。

水调歌头①

丙辰中秋，欢饮达旦，大醉，作此篇兼怀子由②。

明月几时有，把酒问青天③。不知天上宫阙，今夕是何年。我欲乘风归去，又恐琼楼玉宇④，高处不胜寒。起舞弄清影⑤，何似在人间。

转朱阁⑥，低绮户⑦，照无眠⑧。不应有恨，何事偏向别时圆⑨。人有悲欢离合，月有阴晴圆缺，此事古难全。但愿人长久，千里共婵娟⑩。

【注释】

①隋炀帝幸江都,制有《水调歌》;唐大曲亦有《水调》歌。《词谱》谓《水调歌头》乃宋人裁唐大曲之歌头另倚新声。宋胡仔《苕溪渔隐丛话》后集卷三九:"中秋词,自东坡《水调歌头》一出,馀词尽废。"

②丙辰:宋神宗熙宁九年(1076年),苏轼时四十一岁,在知密州(今山东诸城市)任上。子由:即苏轼弟苏辙。

③明月两句:李白《把酒问月》诗:"青天有月来几时?我今停杯一问之。"此用其意。

④琼楼玉宇:指月中宫殿。

⑤起舞弄清影:指月下起舞,清影随人。

⑥转朱阁:月光照遍了华美的楼阁。

⑦低绮户:低低地照进雕花的门窗里去。

⑧照无眠:照着有心事的人不能安睡。

⑨不应有恨两句:是说月圆应该无恨,但为什么又老是趁着人们离别、孤独的时候圆呢?

⑩千里共婵娟:南朝宋谢庄《月赋》:"美人迈兮音尘绝,隔千里兮共明月。"此用其意。婵娟:指月亮。

【赏析】

此词在文学史上享有盛誉。前阕是见月思君，言天上宫阙，高不胜寒，仿佛神魂归去，已不知身在人间。次阕言月何不照人欢洽，偏偏于人离索时而圆。最后自解，人有离合，月有圆缺，皆是常事，唯望长久共婵娟。通篇空灵蕴藉，大开大合，令人玩味不尽。当时作者在政治上既不得意，与亲人也多年不能团聚（与苏辙已七年未见面），其心情自是抑郁。但作者却没有因此而消沉悲观，词中正体现了一种热爱人间生活，不为离愁别苦所束缚的乐观思想。

浣溪沙[①]

游蕲水清泉寺。寺临兰溪，溪水西流[②]。

山下兰芽短浸溪。松间沙路净无泥。
萧萧暮雨子规啼[③]。
谁道人生无再少。门前流水尚能西[④]。
休将白发唱黄鸡[⑤]。

【注释】

①唐教坊曲，用作词调。又名《浣沙溪》、《东风寒》等。或认为“沙”当作“纱”。

②蕲水：在今湖北浠水县。苏轼《东坡志林》卷一：“（余）得疾，闻麻桥人庞安常善医而聋，遂往求医。……疾愈，与之同游清泉寺。寺在蕲水郭门外二里许……下临兰溪，溪水西流。余作歌云：……”

③萧萧：同潇潇，细雨貌。子规：即杜鹃鸟，相传是古代蜀帝杜宇的魂

所化，鸣声凄厉，能动旅客思乡的感情。

④门前流水尚能西：流水照例向东，这里以溪水向西流作为例子来说明事物有种种不同的发展变化。

⑤休将白发唱黄鸡：不要徒然自伤白发，悲叹衰老。白居易《醉歌》："谁道使君不解歌，听唱黄鸡与白日。黄鸡催晓丑时鸣，白日催年酉前没。腰间红绶系未稳，镜里朱颜看已失。"苏轼《与临安令宗人同年剧饮》："试呼白发感秋人，令唱黄鸡催晓曲。"此处反其意而用之。

【赏析】

苏轼被贬谪黄州期间，不仅是罪人的身份，物质生活也比较艰苦。他却不计较个人的得失，抱着"但令人饱我愁无"的乐观思想。从这首词可以看出，作者壮志仍在，没有因此沉沦消极，徒伤白发。有时候，人生的精彩与否并不一定和年龄有关。

念奴娇[①]

赤壁怀古[②]

大江东去，浪淘尽、千古风流人物。故垒西边[③]，人道是、三国周郎赤壁[④]。乱石穿空[⑤]，惊涛拍岸，卷起千堆雪[⑥]。江山如画，一时多少豪杰！

遥想公瑾当年，小乔初嫁了[⑦]，雄姿英发[⑧]，羽扇纶巾[⑨]，谈笑间、樯橹灰飞烟灭。故国神游，多情应笑我，早生华发。人生如梦，一樽还酹江月⑩。

【注释】

①又名《百字令》、《湘月》等，又因本词而有《大江东去》、《酹江月》等异称。

②赤壁：周瑜破曹兵之赤壁，在今湖北蒲圻县西北，而苏轼所游之赤壁，在今黄州城西，不是当年三国大战的赤壁。

③故垒：旧时营垒。

④人道是、三国周郎赤壁：这里是根据人云亦云（"人道是"）的意思将这个地方作为古战场，藉以怀古。周瑜（175－210年）字公瑾，为吴将时仅二十四岁，吴中呼为周郎。

⑤穿空：一作崩云。

⑥雪：比喻浪花。

⑦小乔：周瑜妻。乔：本作桥。

⑧英发：言论见解不凡。《三国志·吴志·吕蒙传》载孙权论吕蒙的学问策略可以比周瑜，"但言议英发，不及之耳"。

⑨羽扇纶（guān）巾：古代儒将的装束。纶巾：青丝带的头巾。这是魏晋名士常见的装束。

⑩酹（lèi）：把酒倒在地上祭奠。

【赏析】

这首词是苏词豪放风格的代表作，为苏轼谪居黄州游赤壁时所写。作者时年已四十七岁，自觉功名事业还没有成就，借怀古以抒发自己的情怀。全词可分为三个部分；开头写赤壁的景色；次写周瑜的战功并借以抒志；最后是作者自己的感叹。前后联系密切自然。最突出的一点是作者塑造出一个“雄姿英发”的英雄形象。这样的英雄形象在文人的词里出现，还是首创。俞文豹《吹剑录》载：东坡在玉堂（翰林院），有幕士善讴。因问：“我词比柳词如何？”对曰：“柳郎中词，只好十七八女孩儿，执红牙拍板，唱‘杨柳岸晓风残月’；学士词，须关西大汉，执铁板，唱‘大江东去’。”公为之绝倒。苏词风格由此可见。

定风波[①]

三月七日，沙湖道中遇雨，雨具先去，同行皆狼狈，余独不觉。已而遂晴，故作此[②]。

莫听穿林打叶声，何妨吟啸且徐行。竹杖芒鞋轻胜马[③]，谁怕？一蓑烟雨任平生。

料峭春风吹酒醒[④]，微冷，山头斜照却相迎。回首向来萧瑟处[⑤]，归去，也无风雨也无晴。

【注释】

①唐教坊曲，用作词调，又名《定风波令》、《定风流》等。《定风波慢》亦名《定风波》，然体制大异。

②三月七日：指元丰五年（1082年）三月初七。沙湖：苏轼《东坡志林》卷一《游沙湖》云：“黄州东南三十里为沙湖，亦曰螺师店。”黄州即今湖北黄冈市黄州区。

③芒鞋：草鞋。竹杖芒鞋是平民乃至贫民身份的象征。

④料峭：风寒貌。

⑤萧瑟：风雨吹打树林的声音。

【赏析】

曾有人论苏词“无意不可入，无事不可言”，此词即可见一斑。描写的是作者途中遇大雨仍吟啸前行的经历和感受。虽然描绘的是眼前景色，却用曲笔直抒胸臆。表现了作者任凭政治风雨变幻，屡遭挫折也无所畏惧的倔强性格。郑文焯评此词道：“此足征是翁坦荡之怀，任天而动……倚声能事尽之矣。”（《手批东坡乐府》）

念奴娇

中秋

凭高远眺，见长空、万里云无留迹。桂魄飞来[①]，光射处、冷浸一天秋碧[②]。玉宇琼楼，乘鸾来去，人在清凉国[③]。江山如画，望中烟树历历[④]。

我醉拍手狂歌，举杯邀月，对影成三客[⑤]。起舞徘徊风露下，今夕不知何夕[⑥]！便欲乘风，翻然归去，何用骑鹏翼[⑦]。水晶宫里[⑧]，一声吹断横笛[⑨]。

【注释】

①桂魄：即月亮。古人以月为魄。传说月中有一棵五百丈的桂树（见段成式《酉阳杂俎》），故称桂魄。

②冷浸一天秋碧：一碧无垠的秋空都沉浸在清冷的月光中。
③乘鸾来去二句：王铚《龙城录》载唐玄宗游月宫，见一大官府，榜曰“广寒清虚之府”，“有素娥十馀人，皆皓衣乘白鸾往来，舞于大桂树下”。
④历历：分明貌。
⑤举杯邀月二句：李白《月下独酌》诗：“举杯邀明月，对影成三人。”
⑥今夕不知何夕：《诗经·绸缪》：“今夕何夕，见此良人。”
⑦何用骑鹏翼：《庄子·逍遥游》：“鹏之背，不知其几千里也。怒而飞，其翼若垂天之云。……鹏之徙于南冥也，水击三千里，抟扶摇而上者九万里。”这里是说要乘风到月宫去，用不着骑鹏翼。
⑧水晶宫：这里指月宫。
⑨横笛：横吹的笛子，即今通用的七孔笛，不同于直吹的古笛。

【赏析】

此词是宋神宗元丰五年(1082年)作者谪居黄州时所作。当时，作者的政治处境仍然没有得到改善，可是心境很开朗。通篇都是用幻想组成，上片以浪漫主义笔法描绘了中秋月宫的景色，下片以天上人间相呼应，反映了作者在精神上自求解脱、胸怀开阔的一面。

临江仙[①]

夜归临皋[②]

夜饮东坡醒复醉[③]，归来仿佛三更。家
童鼻息已雷鸣[④]。敲门都不应，倚杖听江声。
长恨此身非我有[⑤]，何时忘却营营[⑥]。

夜阑风静縠纹平[⑦]。小舟从此逝，江海寄余生[⑧]。

【注释】

①唐教坊曲，用作词调。宋黄昇《唐宋名贤绝妙词选》卷一："唐词多缘题，所赋《临江仙》则言仙事，《女冠子》则述道情，《河渎神》则咏祠庙。大概不失本题之意。"又名《庭院深深》、《瑞鹤仙令》等。

②夜归临皋：清王文诰《苏诗总案》题作"壬戌（1082年）九月，雪堂夜饮，醉归临皋作"。雪堂是苏轼在东坡所筑的房子。临皋在黄州城南长江边，苏轼的寓所在此。

③东坡：在黄州城西赤鼻矶的东面。苏轼谪居黄州时，筑室于此，作为游憩之所，因以为号。

④鼻息已雷鸣：唐衡山道士轩辕弥明与进士刘师服等联句毕，倚墙而睡，鼻息如雷鸣。见韩愈《石鼎联句序》。

⑤长恨句：《庄子·知北游》："舜问乎丞曰：'道可得而有乎？'曰：'汝身非汝有也，汝何得有夫道？'舜曰：'吾身非吾有也，孰有之哉？'曰：'是天地之委形也。'"

⑥营营：纷乱意，喻为功名利禄而劳碌、费神。《庄子·庚桑楚》："全汝形，抱汝生，无使汝思虑营营。"

⑦縠纹：比喻水的波纹。縠：绉纱。

⑧小舟从此逝两句：意要弃官不干，隐居江湖。高适诗云："江海一扁舟。"

【赏析】

相传这首词曾一度惊动朝廷。叶梦得《避暑录话》云："子瞻在黄州……与数客饮江上。夜归，江面天际，风露浩然。有当其意，乃作歌辞，所谓‘夜阑风静縠纹平。小舟从此逝，江海寄馀生’者，与客大歌数过而散。翼日（第二天），喧传子瞻夜作此词，挂冠服江边，拏舟长啸去矣。郡守徐君猷闻之，惊且惧，以为州失罪人，急命驾往谒。则子瞻鼻鼾如雷，犹未兴也。然此语卒传京师，裕陵（神宗）亦闻而疑之。”这个故事有助于我们对苏轼当时处境的了解。但苏轼终究心系天下，不可能逃世自遁，贬谪受罪的处境无法改变，唯有寄希望于获得精神上的自由。

水调歌头

快哉亭作①

落日绣帘卷，亭下水连空。知君为我新作，窗户湿青红②。长记平山堂上，攲枕江南烟雨，杳杳没孤鸿。认得醉翁语，山色有无中③。

一千顷，都镜净，倒碧峰④。忽然浪起，掀舞一叶白头翁⑤。堪笑兰台公子⑥，未解庄生天籁⑦，刚道有雌雄⑧。一点浩然气，千里快哉风⑨。

【注释】

①快哉亭：元丰六年（1083年），作者友人张怀民谪居黄州，在其宅西南筑一亭，苏轼名为快哉亭。此词当作于其时。

②湿青红：涂上青油红漆。

③长记五句：参见欧阳修《朝中措》（平山阑槛倚晴空）。此处以欧阳修

平山堂比快哉亭。醉翁：欧阳修之号。

④都镜净，倒碧峰：谓水面明净如镜，倒映翠峰。

⑤一叶：指小舟。白头翁：指老渔父。

⑥兰台公子：指宋玉。宋玉曾陪楚襄王游兰台之宫，故云。兰台：在今湖北钟祥县。

⑦庄生：指庄子。天籁：自然界的声音。《庄子·齐物论》："汝闻地籁，而未闻天籁。"

⑧刚道：偏说，硬说。雌雄：宋玉《风赋》云楚襄王在兰台之宫，披襟当风，说道："快哉此风！寡人所与庶人共者耶？"宋玉回答说：风有雌雄之分，吹给大王的风是雄风，吹给百姓的风是雌风。

⑨浩然气：指人胸中浩然坦荡的正气。《孟子·公孙丑上》："我善养吾浩然之气。"

【赏析】

这首词前段描写作者登上快哉亭后，所览亭下及周围远近胜景；后段借风说事，抒发谪居间胸中的不平之气，显豁自己的浩然气概和坦荡胸怀。苏轼弟苏辙亦著有散文名篇《黄州快哉亭记》，后人评云："读之令人心胸旷达，宠辱都忘。"亦可移为此词作注脚。

黄庭坚

黄庭坚(1045－1105年),字鲁直,号涪翁,又号山谷道人。洪州分宁(今江西修水)人。治平四年(1067年)进士。元祐元年(1086年)任《神宗实录》检讨官,累官秘书丞,兼国史编修官。后坐修《实录》失实的罪名,贬为涪州(今四川涪陵)别驾、黔州(今四川彭水)安置,后移戎州(今重庆宜宾市)。崇宁元年(1102年),内迁知太平州(今安徽当涂),旋被劾,除名,羁管宜州(今广西宜山)。卒,私谥文节先生。与张耒、晁补之、秦观俱游苏轼门,时称“苏门四学士”。诗歌成就较高,与苏轼并称“苏黄”。还长于书法。词存180馀首。有《山谷词》等。

水调歌头

瑶草一何碧[①],春入武陵溪[②]。溪上桃花无数,枝上有黄鹂[③]。我欲穿花寻路,直入白云深处,浩气展虹蜺[④]。只恐花深里,红露湿人衣[⑤]。

坐玉石,倚玉枕,拂金徽[⑥]。谪仙何处[⑦]?无人伴我白螺杯[⑧]。我为灵芝仙草[⑨],不为朱唇丹脸[⑩],长啸亦何为?醉舞下山去,明月逐人归。

【注释】

①瑶草：仙草，指山里的香草。一何：何其。

②武陵溪：陶渊明《桃花源记》："晋太元中，武陵人捕鱼为业，缘溪行，忘路之远近，忽逢桃花林。"此用其事。武陵：在今湖南常德一带。

③枝上：一作"花上"。

④浩气展虹蜺：一股豪迈之气和天空上的虹彩相接。蜺：通霓。

⑤红露：花上的露水。一作"红雾"。

⑥金徽：即琴徽，用来定琴声高下之节。

⑦谪仙：世称李白为谪仙。这里是指代嗜酒傲物的诗人。

⑧白螺杯：用螺壳制成的酒杯，有红螺杯与白螺杯之别。

⑨我为灵芝仙草：作者以山中不同凡俗的香草自比。灵芝：紫芝草。

⑩不为朱唇丹脸：不愿意涂脂抹粉做一个随俗媚世的小人。

【赏析】

此词笔致疏宕，气格超逸，将作者孤芳自赏、不愿媚世求荣的性格，以及在出世和入世上的矛盾表现得一览无馀。作者固然想远离尘嚣，寻找一个自己的桃花源，但花深露重，怕是难以久留。最后，也只有随谪仙踪迹，诗酒风流。"我欲"三句，效苏轼《水调歌头》"我欲乘风归去，又恐琼楼玉宇，高处不胜寒"成格。

念奴娇

八月十七日，同诸甥待月。有客孙彦立者，善吹笛，有名酒酌之。[1]

断虹霁雨[2]，净秋空、山染修眉新绿[3]。桂影扶疏[4]，谁便道、今夕清辉不足[5]？万里青天，姮娥何处[6]，驾此一轮玉。寒光零乱，为谁偏照醽醁[7]。

年少从我追游[8]，晚凉幽径，绕张园森木[9]。共倒金荷[10]，家万里、难得尊前相属[11]。老子平生，江南江北，最爱临风笛[12]。孙郎微笑[13]，坐来声喷霜竹[14]。

【注释】

①《宋六十名家词·山谷词》题作："八月十七日，同诸甥步自永安城楼，过张宽夫园待月。偶有名酒，因以金荷酌众客。客有孙彦立，善吹笛。援笔作乐府长短句，文不加点。"其时当为元符二年(1099年)。永安，在今四川奉节县东。

②断虹：虹彩消失。霁：雨过天晴。

③山染修眉新绿：刘歆《西京杂记》卷二云："(卓)文君姣好，眉色如望远山。"此处化用其语。形容雨后新鲜的山色像美人的眉峰一样。

④桂影:《太平御览》卷九五七引《淮南子》云:“月中有桂树。”扶疏:形容枝叶的茂盛。

⑤今夕句:杜甫《一百五日夜对月》:“斫却月中桂,清光应更多。”此处反用其意。

⑥姮娥:即嫦娥,相传是月宫的仙女。

⑦醽醁:美酒名。

⑧年少:少年,指诸甥。

⑨张园:即张宽夫园。森木:茂盛的树木。

⑩金荷:指代酒杯。

⑪属:劝酒。

⑫临风笛:一作“临风曲”。

⑬孙郎:即孙彦立。

⑭坐来:登时。霜竹:指竹笛。

【赏析】

此词据陆游《老学庵笔记》言是作者在被贬谪于戎州时所写。作者在西南地区过了五年的迁谪生活,但豪迈气概不稍逊。作者自称此词“或以为可继东坡赤壁之歌”(《苕溪渔隐丛话后集》引),可见作者自得之甚。

秦 观

秦观(1049－1100年),字少游,一字太虚,号淮海居士。高邮(今属江苏)人。元丰八年(1085年)登进士第,后除秘书省正字,迁国史院编修官,预修《神宗实录》。绍圣元年(1094年)坐党籍,又坐"影附苏轼,增损《实录》",贬监处州酒税。罢职后编管横州、雷州(今属广东)等。元符三年(1100年)复官放还,至藤州(今广西藤县)卒。苏门四学士之一。北宋重要婉约词人。著有《淮海词》等。

念奴娇

过小孤山[①]

长江滚滚东流去,激浪飞珠溅雪[②]。独见一峰青崒嵂[③],当住中流万折。应是天公,恐他澜倒,特向江心设。屹然今古,舟郎指点争说。

岸边无数青山,萦回紫翠[④],掩映云千叠。都让洪涛恣汹涌,却把此峰孤绝。薄暮烟霏[⑤],高空日焕[⑥],谙历阴晴彻[⑦]。行人过此,为君几度击楫[⑧]。

【注释】

①小孤山：在今安徽宿松县东南 120 里的长江中，因其在水中孤兀突绝而名。

②溅雪：形容水花溅起的样子。

③崒(zú)嵂(lǜ)：山峰高峻的样子。

④萦回紫翠：形容山色重叠盘旋。

⑤烟霏：烟气飘扬。

⑥焕：光亮。

⑦谙：熟悉。

⑧击楫：《晋书·祖逖传》："(祖逖)将本流徙部曲百馀家渡江，中流击楫而誓曰：'逖不能清中原而复济者，有如大江。'"击：敲打。楫：船桨。

【赏析】

此词描绘的是长江中游小孤山景象。作者运用丰富的想象，生动的语言，将此自然伟力造就的长江奇景描写出来，使读者不禁为之击节。此词唐圭璋《全宋词》收入存目，并疑为明代张綖词。

贺　铸

贺铸(1052－1125 年),字方回。原籍山阴(今浙江绍兴),生长卫州(今河南卫辉)。宋太祖贺皇后族孙。熙宁中以恩荫授左班殿直。元祐六年(1091 年)以苏轼等荐,转为文官,授承事郎。重和元年(1118 年)迁朝奉郎。晚年退居苏州,自号庆湖遗老。著有《东山词》等。

六州歌头

少年侠气,交结五都雄[①]。肝胆洞[②],毛发耸[③]。立谈中[④],死生同。一诺千金重[⑤]。推翘勇[⑥],矜豪纵[⑦],轻盖拥,联飞鞚[⑧],斗城东[⑨]。轰饮酒垆[⑩],春色浮寒瓮[⑪],吸海垂虹[⑫]。间呼鹰嗾犬[⑬],白羽摘雕弓,狡穴俄空[⑭]。乐匆匆。

似黄粱梦。辞丹凤[⑮],明月共,漾孤篷。官冗从,怀倥偬,落尘笼,簿书丛[⑯]。鹖弁如云众,供粗用,忽奇功[⑰]。笳鼓动,渔阳弄,思悲翁[⑱]。不请长缨,系取天骄种,剑吼西风[⑲]。恨登山临水,手寄七弦桐,目送归鸿[⑳]。

【注释】

①五都:汉代以洛阳、邯郸、临淄、宛、成都为五都;唐代以长安、洛阳、凤翔、江陵、太原为五都。这里借指宋朝的各大都市。

②肝胆洞:肝胆照人。

③毛发耸:表示具有强烈的正义感。

④立谈:站立而谈,喻极短的时间。

⑤一诺千金:《史记·季布列传》引楚人谚曰:“得黄金百斤,不如得季布一诺。”

⑥翘勇:最勇敢的人。特出者称翘。

⑦矜:骄夸。

⑧轻盖拥两句:谓车马随从很盛。盖:车盖,这里指代马车。飞鞚:飞驰的马。鞚:有嚼口的马络头。

⑨斗城:汉长安故城,这里借指北宋汴京。《三辅黄图》载长安故城“城南为南斗形,北为北斗形,至今人呼汉京城为斗城”。

⑩轰饮:狂饮,许多人聚在一处喧嚷饮酒。

⑪春色浮寒瓮:酒坛子里浮现出诱人的春色。

⑫吸海垂虹:饮酒豪狂的样子。杜甫《饮中八仙歌》:“饮如长鲸吸百川。”吸海化用此典。垂虹:用虹饮的典故。刘敬叔《异苑》卷一:“晋义熙初,晋陵薛愿有虹,饮其釜澳,须臾翕响便竭。愿辇酒灌之,随投随涸。”

⑬嗾(sǒu):指使狗时所发出的声音。

⑭狡穴:狡兔的巢穴,泛指兽穴。俄空:一下子被猎寻一空。

⑮丹凤:唐时长安有丹凤门,用指京城。

⑯官冗从四句:冗从:散职侍从官。倥偬:困苦窘迫。尘笼:指仕途。簿书:官府的文书簿册。

⑰鹖弁如云众三句：意指这许多武职人员，都只做些粗杂的事情，没有建功立业的机会。鹖弁：插有鹖毛的武士帽。

⑱笳鼓动，渔阳弄：写安禄山渔阳称兵叛变事。白居易《长恨歌》："渔阳鼙鼓动地来，惊破《霓裳羽衣曲》。"安禄山本胡人，此指侵扰北宋的少数民族。笳鼓动：战争爆发。渔阳：郡名，在今河北蓟县一带。弄：弄兵，发动战事。思悲翁：自伤衰老。古乐府《汉铙歌》中有《思悲翁》曲，意义与此似无关。

⑲不请长缨：《汉书·终军传》："（终）军自请愿受长缨，必羁南越王而致之阙下。"后世称请求参军杀敌曰请缨。天骄：《汉书·匈奴传》："胡者，天之骄子也。"这里泛指边族。唐郑锡《出塞曲》："会当系取天骄入。"剑吼：晋王嘉《拾遗记》卷一："帝颛顼……有曳影之剑……未用之时，常于匣里如龙虎之吟。"

⑳手寄两句：晋嵇康《赠兄秀才入军》："目送征鸿，手挥五弦。"七弦桐：即七弦琴，晋朝已有这种乐器。

【赏析】

这是一首自叙词：前段写少年时期交结豪侠，重然诺，轻生死，意气飞扬，使酒任性，以骑射为乐，生活豪迈不羁；后段写当年的快乐和豪情已一去不复返，仕途失意，担任卑微的武职，忙于琐屑、庸俗的工作，虽有凌云壮志，但却请缨无路。反映了作者悲愤的爱国激情。通篇音律激昂，词情慷慨，连珠炮似的一押三十四韵，句短韵密，熔苏轼之豪迈与柳永之律吕于一体。因有人称这首词云："雄姿壮采，不可一世。"（夏敬观《手批东山词》）

叶梦得

叶梦得(1077－1148年),字少蕴,号肖翁,又号石林居士。苏州吴县(今属江苏)人,居湖州乌程(今浙江湖州)。绍圣四年(1097年)进士。宋徽宗时官翰林学士。历知汝州、蔡州。曾任户部尚书等。南渡后,两知建康府,都督军务。后移知福州,兼福建路安抚使。卒赠检校少保。著有《建康集》《石林词》《石林诗话》等。

水调歌头

九月望日,与客习射西园,余病不能射①。

霜降碧天静,秋事促西风②。寒声隐地初听,中夜入梧桐③。起瞰高城回望,寥落关河千里④,一醉与君同。叠鼓闹清晓⑤,飞骑引雕弓。

岁将晚,客争笑,问衰翁⑥:平生豪气安在?走马为谁雄⑦?何似当筵虎士⑧,挥手弦声响处,双雁落遥空⑨。老矣真堪愧,回首望云中⑩。

【注释】

①曾慥《乐府雅词》题作:"九月望日,与客习射西园,余偶病不能射,客

较胜相先。将领岳德，弓强二石五斗，连发三中的。观者尽惊。因作此词示坐客。前一夕大风，是日始寒。”望日：阴历月十五日。

②秋事：秋收之事。本句意谓西风催促秋收之事。

③中夜：半夜。

④关河：原特指函谷关与黄河，后泛指山河。

⑤叠鼓：连续不断地打鼓(指早晨报时的鼓声)。

⑥衰翁：作者年老有病，自称衰翁。

⑦走马：一作“沈领”。

⑧当筵虎士：指岳德。

⑨双雁落遥空：《北史·长孙晟传》载：“尝有二雕飞而争肉，因以箭两只与晟请射取之，晟驰往，遇雕相攫，遂一发双贯焉。”

⑩回首望云中：王维《观猎》诗：“回看射雕处，千里暮云平。”这里云中也可以释为地名。汉时云中(今内蒙古自治区托克托县)是在军事上占重要地位的边郡，魏尚、李广都曾在此击溃匈奴的军队。宋时云中府于宣和四年(1122年)改辽大同府预置，治所在今山西大同市。宋、金联合攻辽盟约中约定归还宋，后金人失约，其地入金，仍改名大同。

【赏析】

霜寒碧天，梧桐西风，自是一番深秋景象。而国势衰微，中原已经沦丧，作者因“病不能射”更产生了许多感慨。虽然自伤衰老，自己不能再为国效力，但“回首望云中”之心仍在。看到在座有虎士将军射术高超，不由得豪气勃发。本词笔墨酣畅，可谓“简淡时出雄杰”(《石林词》题跋)。

李　纲

李纲(1083－1140年),字伯纪,号梁溪。邵武(今福建邵武)人。为唐宗室。政和二年(1112年)进士。累官监察御史兼权殿中侍御史。钦宗时历官兵部侍郎、尚书右丞。力主抗金,主持京师防务,迫使金兵后撤。后被主和派排斥,遭贬谪。高宗即位,官尚书右仆射兼中书侍郎,旋被罢。仍多次上疏言抗金事,均未被采纳。卒谥忠定。著有《梁溪集》等。

苏武令

塞上风高,渔阳秋早,惆怅翠华音杳①。驿使空驰,征鸿归尽,不寄双龙消耗②。念白衣、金殿除恩,归黄阁、未成图报③。

谁信我、致主丹衷,伤时多故,未作救民方召④。调鼎为霖,登坛作将,燕然即须平扫⑤。拥精兵十万,横行沙漠,奉迎天表⑥。

【注释】

①渔阳:古郡名,战国时燕国设。隋唐时渔阳郡在今天津蓟县。这里借指边地。翠华:皇帝仪仗中用翠鸟羽毛装饰的旗帜。这里代指宋

徽、钦二宗被俘后音讯全无。

②双龙消耗：即指二帝消息。消耗：音信，声息，一作音耗。

③白衣：指无官职的人。作者以此自称中进士前的身份。除恩：拜官、授职。黄阁：汉代丞相、太尉以及汉以后三公的官署厅门涂成黄色，以区别于天子。李纲在南宋初曾任宰相，故有此说。

④丹衷：赤诚之心。方召：亦作方邵，西周时协助周宣王中兴的辅臣方叔、召虎的合称。借指国之重臣。

⑤调鼎：比喻宰相治理国家。霖：甘雨，及时雨。燕然：燕然山，参见范仲淹《渔家傲》注。

⑥天表：天子的仪容，指徽、钦二帝。

【赏析】

这首词作于靖康之难后的南宋初年。南宋高宗即位之初，曾萌生抗金的志向，李纲也是在那个时候重新得到起用。他作为当时主战派的代表，一心想收复中原国土，建功立业。因而在这首词中，作者忠贞爱国的胸怀和济世救民的抱负得以充分展现。

李清照

李清照(1084—约1151),号易安居士,济南章丘(今属山东)人。“苏门后四学士”之一李格非女。建中靖国元年(1101年)嫁太学生赵明诚。崇宁二年(1103年),赵明诚出仕,夫妇二人以访求金石为志,以诗词唱和为乐,琴瑟甚调。建炎南渡,明诚亡故,清照流落东南以终。清照诗、文、书、画皆能,尤擅长词,为婉约派代表词人。原有集,已佚,后人辑有《李清照集》《漱玉词》。

渔家傲

天接云涛连晓雾,星河欲转千帆舞①。仿佛梦魂归帝所②,闻天语③,殷勤问我归何处?

我报路长嗟日暮④,学诗谩有惊人句⑤。九万里风鹏正举⑥,风休住,蓬舟吹取三山去⑦。

【注释】

①星河:天河、银河。

②帝所:天帝居住的地方。

③闻天语：听到天帝的话。唐李白《飞龙吟》云："造天关，闻天语。"

④我报句：战国屈原《离骚》云："欲少留此灵琐兮，日忽忽其将暮。……路漫漫其修远兮，吾将上下而求索。"

⑤学诗句：唐杜甫《江上值水如海势聊短述》云："为人性僻耽佳句，语不惊人死不休。"谩：空。

⑥九万里句：《庄子·逍遥游》："鹏之徙于南冥也，水击三千里，抟扶摇而上者九万里。"

⑦三山：《史记·封禅书》载：渤海中有蓬莱、方丈、瀛洲三神山。

【赏析】

作者南渡以后，曾从海上航行至温州、绍兴等地，历经风涛之险苦。此词中所写，虽为梦境（黄昇《花庵词选》题作"记梦"），却亦有此番经历的真确感受。在海涛的催激下，作者胸中的勃郁之气喷泻而出。整首词气魄宏大雄奇，意境豪迈健举。将国破家亡以及现实生活中的诸多无奈，以一种浪漫的情思寄托，冀望能随风而往，直上神仙府第。作者类似的豪放风格，较多见于其诗作。

张元幹

张元幹(1091－1161年,一说1091－1170年?),字仲宗,号芦川居士、真隐山人。福州永福(今福建永泰)人,一说长乐(今属福建)人。出身仕宦之家,后入为太学上舍生。宣和七年(1125年)任陈留县丞。靖康元年(1126年)为李纲僚属。后李纲遭贬,亦牵连罪放出京。绍兴元年(1131年)因不屑与秦桧同朝,愤而辞官。绍兴二十一年(1151年)被秦桧削籍下狱。晚年曾滞留吴越间。早年词作婉丽,靖康乱后,词风为之大变。其豪放词风对张孝祥、辛弃疾等有一定影响。著有《芦川归来集》十卷,其中《芦川词》二卷。

贺新郎

寄李伯纪丞相[①]

曳杖危楼去[②]。斗垂天[③]、沧波万顷,月流烟渚[④]。扫尽浮云风不定,未放扁舟夜渡。宿雁落、寒芦深处。怅望关河空吊影[⑤],正人间、鼻息鸣鼍鼓[⑥]。谁伴我,醉中舞。

十年一梦扬州路[⑦]。倚高寒、愁生故国,气吞骄虏[⑧]。要斩楼兰三尺剑[⑨],遗恨琵琶旧语[⑩]。谩暗涩、铜华尘土[⑪]。唤取谪仙平章看[12]，过苕溪、尚许垂纶否[13]？风浩荡，欲飞举[14]。

【注释】

①李伯纪：即李纲，字伯纪。可参见本书李纲词。建炎元年任宰相，绍兴八年（1138年）力反和议，被罢官，居长乐。张元幹作此词以寄，时在福州。

②曳：拖着。危楼：高楼。

③斗垂天：北斗星悬垂于天空。

④月流烟渚：月光洒落在雾气笼罩的水边洲渚。

⑤吊影：形影相吊，言其孤独。

⑥鼍鼓：用鼍皮蒙制的鼓。鼍即扬子鳄，俗名猪婆龙，皮坚厚，可取以蒙鼓面。这句是说深夜中人们鼻息如雷，有“众人皆醉”之意。

⑦十年句：语出杜牧《遣怀》诗：“十年一觉扬州梦，赢得青楼薄幸名。”此指十年前的建炎元年（1127年），高宗赵构在南京（今河南商丘）称帝，用李纲为相，企图恢复中原。然而不久金兵南犯，高宗逃扬州，再逃江南，扬州遭劫掠。扬州，当时属淮南东路。

⑧骄虏：指金人。《汉书·匈奴传》称匈奴为“天之骄子”，金人同为北方少数民族，故称。

⑨楼兰：汉代西域古国，故址在今新疆罗布泊西。李白《塞下曲》：“愿将腰下剑，直为斩楼兰。”

⑩遗恨句：用汉王昭君被迫出塞和亲事，表其对朝廷向金人屈膝求和的愤怨。杜甫《咏怀古迹》：“千载琵琶作胡语，分明怨恨曲中论。”相传王昭君善琵琶，《昭君怨》系著名琵琶曲。

⑪谩暗涩句：指宝剑被弃于尘土，生满锈迹。谩：同漫，徒然。暗涩：因

生锈而黯然失色。铜华：铜锈。

⑫谪仙：唐人对李白之称。李纲有“李白乃吾祖”之句。此处以代指李纲。平章：评论。

⑬苕溪：溪名，源于浙江天目山，入太湖。垂纶：垂钓，指隐居。

⑭欲飞举：想乘风高举。飞，一作“轻”。

【赏析】

绍兴八年(1138年)，宋金和议已成定局。在秦桧、王伦的导演下，高宗向金拜表称臣。李纲上表反对无效。张元幹便写了这首忠愤填膺的词寄给李纲。上片以健笔写景，暗喻时局动荡艰难，国家处于危急存亡之秋；下片融情用典，对李纲坚持不屈的抗金主张表示极力支持，与之共勉进退。全词意境雄阔，沉郁顿挫。首句与尾句尤豪迈如有千钧之力。

贺新郎

送胡邦衡待制赴新州①

梦绕神州路。怅秋风、连营画角②，故宫离黍③。底事昆仑倾砥柱④，九地黄流乱注⑤。聚万落、千村狐兔⑥。天意从来高难问，况人情、老易悲难诉⑦。更南浦⑧，送君去。

凉生岸柳催残暑。耿斜河⑨、疏星淡月，断云微度。万里江山知何处？回首对床夜语⑩。雁不到、书成谁与⑪？目尽青天怀今

古，肯儿曹、恩怨相尔汝[12]！举大白[13]，听金缕[14]。

【注释】

①胡邦衡：胡铨（1102—1180年），字邦衡，号澹庵，庐陵（今江西吉安）人。事迹详见本书胡铨词。绍兴八年（1138年），宋、金和议将成，胡铨上书反对，请斩王伦、秦桧、孙近三人，羁押金使，兴师问罪。秦桧诬其狂悖，初议编管昭州，迫于公论，监广州盐仓，改威武军判官。十二年（1142年）诏除名，编管新州。待制：皇帝的侍从官。据《宋史》本传，胡铨于乾道七年（1171年）“除宝文阁待制”，故“待制”二字疑后人所加。又，别本题一作“送胡邦衡待制”。新州，治所在今广东新兴县。

②画角：彩绘的军中号角。

③故宫：指汴京的旧宫室。离黍：《诗经・王风》有《黍离》篇，首句曰：“彼黍离离。”故以名篇。《毛诗序》云其旨：“周大夫行役至于宗周，过故宗庙宫室，尽为禾黍，闵周室之颠覆，彷徨不忍去而作是诗也。”此指怀念中原故国。

④底事：何事，为何。昆仑：山名。《神异经》：“昆仑之山，有铜柱焉。其高入天，所谓天柱也。”又《淮南子・天文训》：“昔日共工与颛顼争为帝，怒而触不周之山，天柱折，地维绝。”

⑤九地：九州之地，犹言全国。黄流：黄河水。

⑥狐兔：喻指金兵。

⑦天意二句：杜甫《暮春江陵送马大卿公恩命赴阙下》：“天意高难问，人情老易悲。”

⑧南浦：水边送别之处。南朝江淹《别赋》：“送君南浦，伤如之何！”

⑨耿斜河：明亮的银河。

⑩对床夜语：指过去与胡铨相聚之时。白居易《招张司业》："能来同宿否？听雨对床眠。"

⑪雁不到：相传大雁南飞，不逾衡阳，衡阳有回雁峰。新州在衡阳之南，故云。

⑫儿曹：儿辈。尔汝：指彼此的亲昵无间。韩愈《听颖师弹琴》："昵昵儿女语，恩怨相尔汝。"此句意谓怎能如同小儿女那样只顾私情呢。

⑬大白：酒杯。

⑭听金缕：听所作新词。金缕：《贺新郎》词调的别名。

【赏析】

张元幹写这首词是在绍兴十二年（1142 年）。《宋史 · 胡铨传》载诗人王庭珪因作诗为胡铨送行，竟被判充军，可见当时对主战派表同情是朝廷所不许的。相传张元幹也因此受到除名的处罚。此词忠愤填膺，"慷慨悲凉，数百年后，尚想其抑塞磊落之气"（《四库全书总目》），可以说是张词压卷之作。

石州慢

己酉秋吴兴舟中作[①]

雨急云飞，惊散暮鸦，微弄凉月。谁家疏柳低迷，几点流萤明灭。夜帆风驶，满湖烟水苍茫，菰蒲零乱秋声咽[②]。梦断酒醒时，倚危樯清绝[③]。

心折[④]。长庚光怒[⑤]，群盗纵横[⑥]，逆胡猖獗。欲挽天河[⑦]，一洗中原膏血。两宫何处[⑧]，塞垣只隔长江[⑨]，唾壶空击悲歌缺[⑩]。万里想龙沙[⑪]，泣孤臣吴越[⑫]。

【注释】

①己酉：宋高宗建炎三年（1129年）。是年春，金兵陷徐、扬等州，高宗从扬州渡江，南逃杭州，江北百姓颠沛流离，作者避乱于吴兴（今浙江湖州）。

②菰蒲：菰与蒲，皆浅水植物。前者嫩茎即“茭白”，颖果名“菰米”，又称“雕胡米”。后者即水杨，嫩时可食，老时可制席。

③危樯：高耸的船樯。

④心折：言伤心至极。江淹《别赋》：“使人意夺神骇，心折骨惊。”

⑤长庚：即金星，中国古代把金星叫做太白星，早晨出现在东方时叫启明，晚上出现在西方时叫长庚。《史记·天官书》：“长庚如一匹布著天，见则起兵。”即主兵戈。

⑥群盗：指建炎二年刘豫降金，建炎三年苗傅、刘正彦作乱事。

⑦天河：即银河。杜甫《洗兵马》："安得壮士挽天河，净洗甲兵长不用。"

⑧两宫：指宋徽宗赵佶和宋钦宗赵桓。二帝被金兵掳至北方。

⑨塞垣：边塞的城墙。这时南宋与金国只隔着长江一水。

⑩唾壶：承唾之器。《世说新语·豪爽》："王处仲（敦）每酒后，辄咏'老骥伏枥，志在千里。烈士暮年，壮心不已'（曹操《龟虽寿》句）。以铁如意打唾壶，壶口尽缺。"

⑪龙沙：白龙堆沙漠。也泛指塞外沙漠地区。这里作为二帝被掳北行后所在地的代称。

⑫孤臣：作者自谓。吴越：南宋政权的中心地区，今江苏、浙江一带。

【赏析】

此词上片以冷色绘就湖上夜色，凄清苍凉，更兼有一个"梦断酒醒"之人，虽是景语，亦为情语；下片笔势抑而后扬，扬而复抑，沉郁顿挫，长歌当哭。正反映出一个爱国志士在金兵南下、国难当头之际的孤愤之情。

胡　铨

胡铨（1102—1180年），字邦衡，号澹庵，江宁（今江苏南京）人，避居庐陵（今江西吉安）。建炎二年（1128年）进士。金兵南下，募丁保卫乡里。绍兴五年（1135年）除枢密院编修官。绍兴八年，上书反对与金媾和，请斩王伦、秦桧、孙近三人，并羁留金使，贬谪福州签判。和议成，被除名，押新州（今广州新兴）编管，再远谪吉阳军（今属海南）。秦桧死，移衡州（今湖南衡山一带）。孝宗即位，历任国史院编修官、国子祭酒、兵部侍郎，以资政殿学士致仕。有《澹庵集》，存词16首。

好事近

富贵本无心，何事故乡轻别？空使猿惊鹤怨[1]，误薜萝秋月[2]。

囊锥刚要出头来[3]，不道甚时节[4]。欲驾巾车归去[5]，有豺狼当辙[6]。

【注释】

①猿惊鹤怨：指山中的猿鹤都怨主人离开它们去做官。孔稚圭《北山移文》："蕙帐空兮夜鹤怨，山人去兮晓猿惊。"

②薜萝：薜荔、女萝，两种植物名，指古代隐士的服装。《楚辞・山鬼》："若有人兮山之阿，披薜荔兮带女萝。"后世借指隐士住所。

③囊锥句：用毛遂自荐典。《史记・平原君列传》："平原君曰：'夫贤士之处世也，譬若锥之处囊中，其末立见。今先生处胜之门下三年于此矣，左右未有所称诵，胜未有所闻，是先生无所有也。先生不能，先生留。'毛遂曰：'臣乃今日请处囊中耳。使遂早得处囊中，乃脱颖而出，非特其末见而已。'"比喻自己本来可以像毛遂一样表现自己的才能。

④不道甚时节：不了解这是怎样的形势。指主和派权臣当道，有志之士无法施展。

⑤巾车：有帷幔的小车。陶渊明《归去来兮辞》："或命巾车。"

⑥豺狼当辙：比喻秦桧当权误国。当辙：当路。

【赏析】

这首词是宋高宗绍兴十八年（1148年）胡铨被贬谪广东新州时所作。由于其中有"豺狼当辙"句，秦桧的私党张棣迎合意旨，向朝廷检举胡铨"谤讪、怨望"，把他移谪到更荒远的海南岛，直到秦桧死后他才被重移内地。这首词表达了作者不求富贵荣华，只想为国效劳尽忠的愿望，同时也强烈地流露出作者对所谓投降派当道政治现状的不满，可谓大义凛然。

转调定风波

和答海南统领陈康时[①]

从古将军自有真。引杯看剑坐生春[②]。扰扰介鳞何足扫[③]，谈笑，纶巾羽扇典刑新[④]。

试问天山何日定[⑤]，伫听，雅歌长啸静烟尘。解道汾阳是人杰[⑥]，见说，如今也有谪仙人[⑦]。

【注释】

①统领：南宋时驻外地禁军之带兵官，位在统制之下。陈康时：生平事迹未详。

②引杯看剑：杜甫《夜宴左氏庄》诗："检书烧烛短，看剑引杯长。"

③扰扰：纷乱貌。汉枚乘《七发》："其波涌而云乱，扰扰焉如三军之腾装。"介鳞：甲虫与鳞虫，此系对敌人的蔑称。

④纶巾羽扇：魏晋时人的装束，儒将亦服此。苏轼《念奴娇》："羽扇纶巾，谈笑间、樯橹灰飞烟灭。"典刑：即典型，指典范、榜样、楷模。

⑤天山：横亘今新疆中部的山脉，延伸至中亚地区。古称白山或雪山，匈奴称天山。《旧唐书·薛仁贵传》载唐朝名将薛仁贵西征九姓突厥，以三箭射杀骁勇三敌，震慑敌胆，克敌制胜。"军中歌曰：'将军三箭定天山，战士长歌入汉关。'"

⑥汾阳：指唐朝的汾阳王郭子仪，曾为平定安史之乱立下大功。

⑦谪仙人：指李白，出典见前。以上三句写李白慧眼识郭子仪事。《旧

唐书·文艺列传》:“初,白游并州,见郭子仪,奇之。子仪尝犯法,白为救免。”此则本唐裴敬《翰林学士李公墓碑》:“客并州,识郭汾阳于行伍间,为免脱其刑责而奖重之。后汾阳以功成官爵,请赎翰林,上许之,因免诛,其报也。”

【赏析】

这首词约作于作者被贬谪海南期间。虽然几度被贬,政治上的抱负始终没有能够得到满足,但作者丝毫没有退缩丧气。在本词中,作者引用历史上的著名兵家事例以期许海南统领陈康时,相信会有慧眼之人识英雄、重英雄,起用他带兵扫荡金兵,收复中原。由此可见作者一片于国家民族的至诚至忠之心。

朱敦儒

朱敦儒(约1081—1159年),字希真,号岩壑老人,又称伊水老人、洛川先生。洛阳(今属河南)人。早年隐居不仕,屡辞辟召。南渡后避乱岭南,高宗绍兴三年(1133年)诏为右迪功郎,绍兴五年赐同进士出身,为秘书省正字,兼兵部郎中。后因与主战派交往被劾罢官。秦桧当国时曾出为鸿胪少卿,为时论所讥。有词三卷,名《樵歌》。

鹧鸪天

西都作①

我是清都山水郎②,天教分付与疏狂③。
曾批给露支风敕,累上留云借月章④。
诗万首,酒千觞⑤,几曾着眼看侯王!
玉楼金阙慵归去⑥,且插梅花醉洛阳。

【注释】

①西都:宋时洛阳称西京,即西都。

②清都山水郎:天上管理山水的郎官。作者以此表示自己爱好山水出于天性。清都:传说中天帝的宫阙。

③疏狂:狂放,不受礼法的拘束。

④曾批给露支风敕二句:谓自己管风、露、云、月的生活是奉旨这样做,同时也是再三上奏章请求的。

⑤觞:酒杯。王羲之《兰亭集序》:"一觞一咏,亦足以畅叙幽情。"

⑥玉楼金阙慵归去:表示自己不愿到朝廷里做官。

【赏析】

《宋史·文苑传》记作者:"靖康中召至京师,将处以学官。敦儒辞曰:'麋鹿之性,自乐闲旷,爵禄非所愿也。'固辞,还山。"此词大约是从汴京回洛阳后所作。词中所反映出的那种"几曾着眼看侯王"的鄙视权贵的态度,以及飘然不羁的生活状态,是作者甚为自得的,因此信手写来,清新晓畅,深含旷逸之气。

好事近

渔父词

摇首出红尘[1],醒醉更无时节。活计绿蓑青笠[2],惯披霜冲雪。

晚来风定钓丝闲,上下是新月。千里水天一色[3],看孤鸿明灭[4]。

【注释】

①红尘:尘世,指官场。

②活计绿蓑青笠:指依靠打鱼生活。绿蓑青笠:渔人的服装。

③千里水天一色:王勃《滕王阁序》:"落霞与孤鹜齐飞,秋水共长天

一色。”

④明灭：忽隐忽现。

【赏析】

宋高宗绍兴十九年(1149年)，作者离开朝廷，长期寓居嘉禾(今浙江嘉兴市)，在城南放鹤洲经营了一座别业。他前后用《好事近》词调写了六首渔父词来歌咏江湖隐逸之趣。此为其一。

岳　飞

岳飞(1103－1142年),字鹏举,相州汤阴(今属河南)人。出身农家,曾四次从军,建炎元年(1127年)上书反对京师南迁,被革职。投河北招抚司,后从宗泽、杜充。历官都统制、清远军节度使、河南北诸路招讨使。绍兴十年(1140年)挥师北伐,大捷于郾城。因朝廷主和,被迫班师,受诏赴临安,解除兵权,改任枢密副使。旋即被诬下狱,以"莫须有"罪名被害。孝宗时,追谥"武穆"。宁宗时,追封鄂王。后人编有《岳武穆集》。存词3首,有争议。

满江红

写怀

怒发冲冠[①],凭阑处、潇潇雨歇[②]。抬望眼,仰天长啸[③],壮怀激烈[④]。三十功名尘与土[⑤],八千里路云和月[⑥]。莫等闲、白了少年头[⑦],空悲切。

靖康耻[⑧],犹未雪。臣子恨,何时灭。驾长车[⑨],踏破贺兰山缺[⑩]。壮志饥餐胡虏肉[⑪],笑谈渴饮匈奴血[⑫]。待从头、收拾旧山河,朝天阙[⑬]。

【注释】

①怒发冲冠：形容因极愤怒，头发上竖，顶起帽子。《史记·廉颇蔺相如列传》：“相如因持璧却立，倚柱，怒发上冲冠。”

②潇潇：状雨势之急骤。刘体仁《七颂堂词绎》云：“潇潇雨歇，（荆轲）《易水》之歌也。”

③长啸：撮口发出清越而长的声音。

④壮怀：壮志。

⑤三十句：意谓年逾三十，只是在尘土间奔走，大功并未成。或谓岳飞三十多岁已任高职，“尘与土”是自谦。

⑥八千里句：意谓长途转战，追云赶月，驰骋不已。又因《宋史》本传载其“直捣黄龙府，与诸君痛饮”语，或以为此句概言岳飞上述之志。

⑦等闲：轻易、随便。

⑧靖康耻：指靖康二年（1127年）金兵陷京师，掳徽、钦二帝，北宋灭亡之耻。靖康：钦宗年号（1126—1127年）。

⑨长车：战车。

⑩贺兰山：在今宁夏境内，当时被西夏控制。一说此指河北磁县之贺兰山，岳飞曾驻军于此。

⑪胡虏：对金兵的蔑称。

⑫匈奴：指代金国。宋苏舜钦《吾闻》诗：“马跃践胡肠，士渴饮胡血。”恐为此词所本。

⑬天阙：皇宫前楼观。此指朝廷。

【赏析】

这是首千古传诵的名篇。全词濡染大笔，直抒胸臆，忠义愤发，大气淋漓。以“怒”字起句，气壮山河，奠定全词的基调。“仰天长啸”，一腔热血激荡迸发。“三十功名”、“八千里路”一纵一横，兼写壮怀壮举。“莫等闲”二语，可谓“千古箴铭”。过片直写国耻，慷慨陈词。“饥餐”、“渴饮”表达了作者对敌寇无比的痛恨，切齿之声纸上可闻。而“壮志”、“笑谈”等语的运用，又表现出在战略上对金兵的蔑视。结尾以决胜的气概收住全词，与发端的力量悉称。全词如江河之泻，曲折回荡，裂石崩云，激发处铿然有金石声。陈廷焯《白雨斋词话》云：“千载下读之，凛凛有生气焉。”如今吟来，似隐可闻“还我河山”之誓。

满江红

登黄鹤楼有感[①]

遥望中原，荒烟外、许多城郭。想当年、花遮柳护，凤楼龙阁[②]。万岁山前珠翠绕[③]，蓬壶殿里笙歌作[④]。到而今、铁骑满郊畿[⑤]，风尘恶[⑥]。

兵安在，膏锋锷[⑦]。民安在，填沟壑。叹江山如故，千村寥落。何日请缨提锐旅[⑧]，一鞭直渡清河洛[⑨]。却归来、再续汉阳游[⑩]，骑黄鹤。

【注释】

①此词作于绍兴四年(1134年)，此时作者收复襄阳六州，驻节鄂州(今湖北武汉市武昌)。黄鹤楼：旧址在今武汉市黄鹤矶，武汉长江大桥的武昌桥头。旧传仙人王子安曾驾鹤过此，故名。

②凤楼龙阁：指北宋故都汴京的宫殿。南唐李煜《破阵子》："凤阁龙楼连霄汉，玉树琼枝作烟萝。"
③万岁山：一名艮岳。宋徽宗政和七年始筑，积土为假山，周围十馀里，亭台池馆、奇花异石遍布，至宣和四年建成，历时六年。见《宋书·地理志》。
④蓬壶殿：即蓬壶堂，在万岁山之北。
⑤郊畿：指汴京附近。郊：邑外。周时，距都城五十里为近郊，百里为远郊。畿：都城所在的千里地面，后多指京城辖区。
⑥风尘恶：指金兵占领中原，战事不已，形势险恶。
⑦膏锋锷：以血肉滋润了敌人的兵刃。锋：兵器的尖锋。锷：剑刃。
⑧请缨：请战。缨：长绳。《汉书·终军传》："南越与汉和亲，乃遣军使南越，说其王，欲令入朝，比内诸侯。军自请，愿受长缨，必羁南越王而致之阙下。"
⑨河洛：黄河与洛水，指中原一带。
⑩汉阳：今湖北武汉。

【赏析】

此词一叠三折，前后对比，与作者前首词的昂扬激切不同，更多的是对其多年领兵奔波在外的真情感怀。戎马倥偬，总非所愿，待到中原恢复之后，作者还是要过自己理想的生活。显示出了作者心中的必胜信念和浪漫情怀。

陆　游

陆游(1125－1210年),字务观,号放翁,越州山阴(今浙江绍兴)人。年十八师事曾几。绍兴二十三年(1153年)进士第一,殿试时为秦桧除名。隆兴元年(1163年)张浚北伐,为镇江通判。乾道八年(1172年)随四川宣抚使王炎入蜀,淳熙二年(1175年)又入四川制置使范成大幕。后旋起旋废,多闲居山阴。其诗文生前即为世人推重。朱熹谓"放翁老笔尤健,在当今推为第一流"(《答巩仲至第十七书》)。有词二卷,附于《渭南文集》,今人又有补辑。

秋波媚[①]

七月十六日晚登高兴亭望长安南山[②]

秋到边城角声哀[③],烽火照高台。悲歌击筑[④],凭高酹酒,此兴悠哉!

多情谁似南山月,特地暮云开。灞桥烟柳[⑤],曲江池馆[⑥],应待人来。

【注释】

①即《眼儿媚》,陆游改此名。

②高兴亭:在今陕西汉中,正对南山。南山:终南山,在长安城南。

③边城：这里指南郑。当时近宋金边界。
④击筑：《史记·游侠列传》："荆轲嗜酒，日与狗屠及高渐离饮于燕市。酒酣以往，高渐离击筑，荆轲和而歌于市中，相乐也。"筑：古代的一种乐器。
⑤灞桥句：《三辅黄图》："霸桥在长安东，跨水作桥。汉人送客至此桥，折柳赠别。"霸桥，即灞桥。
⑥曲江：池名，在长安东南，唐朝的名胜景观。

【赏析】

宋孝宗乾道八年（1172年），陆游四十八岁。他应爱国将领王炎之邀，从军南郑，这是其一生最为意气风发的时期。南郑是当时的抗金前线。高兴亭在南郑内城西北，正对南山。山那边的汉唐故都长安，当时沦陷在金人手中。作者登上南山亭，慷慨悲歌，壮怀激烈，寄望恢复河山，重览长安风物，表现了强烈而坚定的胜利信心。

汉宫春

初自南郑来成都作[1]

羽箭雕弓[2]，忆呼鹰古垒，截虎平川[3]。吹笳暮归野帐，雪压青毡[4]。淋漓醉墨[5]，看龙蛇、飞落蛮笺[6]。人误许，诗情将略[7]，一时才气超然。

何事又作南来，看重阳药市，元夕灯山[8]。花时万人乐处，敧帽垂鞭[9]。闻歌感

旧，尚时时、流涕尊前。君记取：封侯事在[10]，
功名不信由天。

【注释】

①初自南郑来成都作：此词是宋孝宗乾道九年(1173年)，陆游在成都时作。南郑：今陕西汉中市。

②羽箭：即白羽箭，以白羽为饰，故名。

③截虎平川：陆游在汉中有射虎的故事。其《忆昔》诗中有“昔者戍梁益，寝饭鞍马间。……挺剑刺乳虎，血溅貂裘殷”语。平川：平地。

④野帐：支在野外的帐幕。青毡：毡帐，用毛织做的帐幕。

⑤淋漓醉墨：乘着酒兴落笔，写得淋漓尽致。

⑥龙蛇：形容笔势飞舞貌。蛮笺：古时四川所产的彩色笺纸，称蛮笺。

⑦诗情将略：作诗的才情与作战的谋略。

⑧重阳：农历九月初九日，中国的传统节日，旧有登高的习俗。药市：专门卖药的街市。苏轼《何满子》词：“莫负花溪纵赏，何妨药市微行。”傅幹注：“益州(成都)有药市，期以七月，四远皆集，其药物品甚众，凡三月而罢。好事者多市取之。”陆游《老学庵笔记》卷六曾细言

成都九月九日药市的盛况。元夕：即七夕，农历七月初七日，相传天上的牛郎、织女每年这天晚上跨过银河上的鹊桥相会。灯山：把无数的花灯叠作山形。

⑨花时：成都一带每年百花盛开时，举行花会，非常热闹。攲帽：帽子歪戴着，表示生活的散漫自适。垂鞭：不用鞭打，骑着马缓慢前行。

⑩封侯事在：指班超在西域立业封侯的事。

【赏析】

此词前后分别写南郑和成都两种不同的生活状况。作者这个时候在成都担任闲散的参议官，不是本人所愿，对于这个万人行乐的后方城市也不感兴趣。他还是怀念能够发挥其“诗情将略”的军中生活，并且始终坚信恢复中原的壮志一定能够实现。

谢池春[①]

壮岁从戎，曾是气吞残虏。阵云高[②]、狼烟夜举。朱颜青鬓，拥雕戈西戍。笑儒冠自来多误[③]。

功名梦断，却泛扁舟吴楚。漫悲歌、伤怀吊古。烟波无际，望秦关何处[④]？叹流年、又成虚度。

【注释】

①又名《玉莲花》、《怕春归》等。

②阵云:即战云,战地的烟云。

③笑儒冠句:儒冠,指代儒生。杜甫《奉赠韦左丞丈二十二韵》:"纨绔不饿死,儒冠多误身。"

④秦关:这里指代作者壮年时从军的陕西汉中一带。

【赏析】

壮年时俊爽豪迈的从戎生涯,如今在烟波泛舟的清寂晚景中忆来,还是那么令人神往。虽然壮志难酬,但无论"悲歌"、"伤怀",却终究是心系秦关,不甘流年虚度,亦可谓暮年烈士矣!刘克庄云:"放翁长短句,其激昂感慨者,稼轩(辛弃疾)不能过。"(《后村大全集 · 诗话续集》)此词之谓欤?!

诉衷情[①]

当年万里觅封侯[②],匹马戍梁州[③]。关河梦断何处[④]?尘暗旧貂裘[⑤]。

胡未灭,鬓先秋[⑥],泪空流。此生谁料,心在天山[⑦],身老沧洲[⑧]。

【注释】

①唐教坊曲,用作词调。又名《桃花水》、《画楼空》等。或云因《离骚》之"众不可户说兮,孰云察余之中情"而取名。

②万里觅封侯:用东汉班超事。《后汉书 · 班超传》云:"(班超)家贫,长为官佣书以供养,久劳苦。尝辍业投笔叹曰:'大丈夫无他志略,

犹当效傅介子、张骞立功异域，以取封侯，安能久事笔砚间乎？'左右皆笑之。超曰：'小子安知壮士志哉？'其后行诣相者，曰：'祭酒，布衣诸生耳，而当封侯万里之外。'"这里指作者早年从军南郑的一段经历。

③梁州：《宋史·地理志》云："兴元府，梁州汉中郡，山南西道节度。"治所在南郑。

④关河：关塞与河防。梦断：梦醒。

⑤尘暗句：用苏秦事。《战国策·秦策一》："（苏秦）说秦王，书十上而说不行。黑貂之裘敝，黄金百斤尽，资用乏绝，去秦而归。"

⑥鬓先秋：鬓发已经斑白、疏落。

⑦天山：即今祁连山，指代边疆。

⑧沧洲：临水之地，古时隐居者住的地方。陆游晚年住在绍兴镜湖边的三山。

【赏析】

此词开篇激荡澎湃。在"万里觅封侯"的旷阔空间中，推出"匹马戍梁州"的雄姿剪影，可谓一片壮色。然而只这"当年"二字，便把光影转到了一个闲居山阴的白发老翁身上，往事如梦，无奈年华。末句"心在天山，身老沧洲"，悲愤之情溢于言表。

张孝祥

张孝祥(1132－1170年),字安国,号于湖居士。历阳乌江(今安徽和县)人。绍兴二十四年(1154年)进士第一。历任中书舍人、直学士院等。在建康(今江苏南京)留守任内,力主北伐,被免职。后任荆南兼湖北路安抚使。乾道五年(1169年)因病退居芜湖。善诗文,工词。内容多反映社会现实,爱国情感浓厚。上承苏轼,下开辛派词人先河,在词史上有重要地位。著有《于湖居士文集》四十卷。

水调歌头

闻采石战胜[1]

雪洗虏尘静[2],风约楚云留[3]。何人为写悲壮,吹角古城楼?湖海平生豪气,关塞如今风景[4],剪烛看吴钩[5]。剩喜然犀处[6],骇浪与天浮。

忆当年,周与谢,富春秋[7]。小乔初嫁,香囊未解[8]，勋业故优游。赤壁矶头落照，肥水桥边衰草[9]，渺渺唤人愁。我欲乘风去[10]，击楫誓中流[11]。

【注释】

①闻采石战胜：指1161年冬天虞允文击溃金主完颜亮的部队于采石矶的战事。采石矶，在今安徽当涂县西北牛渚山下突出于江中处。《于湖居士文集》题作“和庞佑父”。庞佑父，名谦儒（1117－1167年），单州武夷人，曾为将仕郎、监南岳庙，后授镇江府观察推官、右文林郎。

②虏尘：敌人所掀起的战尘。

③风约楚云留：比喻自己羁留后方，未能参与战斗。当时作者正知抚州（今属江西），抚州旧属楚地，故以“楚云”为喻。

④湖海句：《三国志·魏志·陈登传》云：“陈元龙湖海之士，豪气不除。”关塞句：《世说新语·言语》篇载，西晋末年渡江诸人每至暇日，会饮于新亭，周侯中坐而叹曰：“风景不殊，举目有江河之异。”

⑤吴钩：《吴越春秋·阖闾内传》载，吴王阖闾命国中作金钩，有人杀掉自己两个儿子，以血涂钩，铸成二钩，献给吴王。后以吴钩泛指利剑。

⑥然犀处：指牛渚矶，即采石矶。《晋书·温峤传》：“（温峤）至牛渚矶，水深不可测。世云其下多怪物。峤遂毁犀角而照之，须臾，见水族覆灭，奇形异状，或乘车马著赤衣者。”按毁犀，后人多作“然犀”，即照妖的意思。

⑦周与谢二句：指周瑜和谢玄。周瑜指挥赤壁之战时三十四岁；谢玄指挥淝水之战时年四十一岁。

⑧小乔初嫁：此用苏轼《水调歌头》（大江东去）成句。香囊未解：指谢玄年少事。《晋书·谢玄传》：“玄少好佩紫罗香囊，（谢）安患之，而

不欲伤其意，因戏赌取，即焚之于此，遂止。”

⑨肥水：即淝水，在安徽省境，流经寿县一带，是东晋谢玄、谢石击溃前秦苻坚大军的地方。

⑩我欲句：苏轼《水调歌头》（明月几时有）：“我欲乘风归去。”

⑪击楫句：《晋书·祖逖传》载，祖逖北伐渡江时，“中流击楫而誓曰：‘逖不能清中原而复济者，有如大江！’辞色壮烈，众皆慨叹”。楫：船桨。

【赏析】

作者在他的诗文词创作上，都极力模仿苏轼，“每作诗文，辄问门人视东坡何如”，从此词即可见一斑。无论胸次笔力，还是遣词用句，都相仿佛。只是由于作者生活在战事不断的南宋，笔间更多了些许忧国之思。

六州歌头

长淮望断，关塞莽然平[①]。征尘暗，霜风劲，悄边声[②]。黯销凝[③]。追想当年事[④]，殆天数，非人力。洙泗上，弦歌地，亦膻腥[⑤]。隔水毡乡，落日牛羊下，区脱纵横[⑥]。看名王宵猎[⑦]，骑火一川明，笳鼓悲鸣，遣人惊。

念腰间箭，匣中剑，空埃蠹[⑧]，竟何成！时易失，心徒壮，岁将零[⑨]。渺神京。干羽方怀远[⑩]，静烽燧，且休兵。冠盖使[⑪]，纷驰骛，若为情[12]？闻道中原遗老，常南望、翠葆霓旌[13]。使行人到此，忠愤气填膺，有泪如倾。

【注释】

①长淮望断二句：远望淮河一带，草木长得和关塞一样高了。长淮：即淮河，宋高宗绍兴十一年(1141年)与金订立和议，以淮河为宋金分界线。莽然：草木茂盛的样子。

②征尘暗三句：是说飞尘阴暗，寒风猛烈，边地上的一切都是静悄悄的，比喻放弃了抵抗。

③黯销凝：默默地伤怀。

④当年事：指靖康之变。

⑤洙泗上三句：连礼乐圣地也陷于敌手。洙、泗二水，流经山东曲阜(春秋时鲁国的国都)。孔子曾在那里讲学。《礼记·檀弓上》云："吾与汝事夫子于洙泗之间。"弦歌地，指有礼乐文化的地方。《论语·阳货》云："子之武城，闻弦歌之声。"膻腥：牛羊的腥臊气，此处

指金人。

⑥隔水毡乡三句：描绘淮河对岸金人的生活场景。毡乡：金人多住在毡帐里，故云毡乡。区脱：亦即瓯脱，匈奴语中称边境上用以候望的土室。

⑦名王：这里指金兵的主将。《汉书·宣帝纪》："匈奴单于遣名王奉献。"颜师古注："名王者，谓有大名，以别诸小王也。"宵猎：夜里打猎。

⑧空埃蠹：白白地被尘埃和蠹虫侵蚀。

⑨岁将零：一年将尽。

⑩干羽句：用文德来怀柔远人，这里指对敌妥协、求和。《尚书·大禹谟》："帝乃诞敷文德，舞干羽于两阶。七旬，有苗格。"孔颖达疏："帝乃大布文德，舞干、羽于两阶之间，七旬而有苗自服来至。"干：干盾，武舞所执；羽：翟羽，文舞所执，二者皆供乐舞之用。

⑪冠盖使：宋派向金的使臣。指1163年与金通使和议事。

⑫若为情：何以为情，难以为情。

⑬翠葆霓旌：皇帝的仪仗。翠葆：翠羽装饰的车盖。霓旌：彩旗。

【赏析】

宋孝宗隆兴元年（1163年），北伐军在符离溃败后，主和派得势，与金国通使议和。这时作者在建康（南京）任留守，而作此词。上片描写江淮前线的严峻态势和敌军的骄纵横行；下片感叹自己报国的志愿不能实现，对渴望北伐的中原父老寄以深切的同情。全词篇幅宏大，音节繁促，一气呵成。相传此词是在一个宴席上所作，当时都督江淮兵马的张浚（主战派大将）读后深为感动，为之罢席而入（见《朝野遗记》）。陈廷焯《白雨斋词话》赞此词："淋漓痛快，笔饱墨酣，读之令人起舞。"

念奴娇

过洞庭[①]

洞庭青草[②],近中秋、更无一点风色。玉鉴琼田三万顷[③],著我扁舟一叶。素月分辉,明河共影[④],表里俱澄澈。悠然心会,妙处难与君说。

应念岭海经年[⑤],孤光自照,肝胆皆冰雪[⑥]。短发萧疏襟袖冷,稳泛沧溟空阔[⑦]。尽挹西江,细斟北斗,万象为宾客[⑧]。扣舷独啸[⑨],不知今夕何夕[⑩]!

【注释】

①洞庭:湖名,在湖南岳阳市西面。

②青草:湖名,在岳阳西南面,与洞庭相通,总称洞庭湖。

③玉鉴琼田:形容月光下的湖上景色。玉鉴:玉镜。

④明河:天河。

⑤岭海经年:在岭南过了一年。指作者担任广南西路经略宣抚事。岭海:五岭以南,今广东、广西地区。

⑥孤光:指月光。苏轼《西江月》词:“中秋谁与共孤光。”此二句表示自己心地光明磊落、冰清玉洁。

⑦沧溟空阔:水天空阔。沧溟:大水弥漫貌。

⑧尽挹西江三句:意谓汲尽西江的水以为酒,把北斗星当作酒器来舀

酒喝，邀请天上的星辰万象作客人。“西江之水”，语出《庄子·外物篇》。《楚辞·东君》：“援北斗兮酌桂浆。”此用其意。北斗：是七颗星组成的星座，形状像舀酒的斗。斟：酌酒。

⑨独啸：一作“独笑”。

⑩今夕何夕：《诗经·绸缪》：“今夕何夕，见此良人。”表示这是个良夜。

【赏析】

此词是宋孝宗乾道二年（1166年）张孝祥被谗言贬职，从桂林北归，过洞庭湖时所作。词中用“肝胆皆冰雪”来表示自己的高洁忠贞；用“吸江酌斗，宾客万象”的豪迈气概，来回应小人的谗害。可谓有“潇散出尘之姿”、“迈往凌云之气”，更兼有几许清狂。因此南宋学者魏了翁认为“在集中最为杰特”（见查为仁、厉鹗《绝妙好词笺》卷一）。若取与苏轼《念奴娇》（凭高远眺）咏中秋词并读，或可见二人精神风格之相通处。

辛弃疾

辛弃疾（1140—1207年），原字坦夫，改字幼安，号稼轩居士，历城（今山东济南）人。青年时聚众入耿京抗金义军，为掌书记。奉表南归，高宗召见，授右儒林郎，改右承务郎。耿京遇害，擒获叛徒，押建康，仍授前官，改差江阴签判。历官建康府通判、滁州知州、江陵知府兼湖北安抚使、隆兴知府兼江西安抚使、湖北转运副使、潭州知州兼湖南安抚使、福建提点刑狱、福州知州兼福建安抚使、绍兴知府兼浙东安抚使、镇江知府等。为权臣所忌，曾落职闲居几达二十年。德祐初，赠少师，谥忠敏。与陈亮、朱熹相善，互相砥砺。其理想志趣不行于世，一腔忠愤均寄之于词，“慷慨纵横，有不可一世之概”（《四库全书总目提要》）。在苏轼的基础上，大大开拓了词的思想意境，后人遂以“苏、辛”并称。有《稼轩集》、《稼轩奏议》等，均佚。辛启泰、邓广铭均辑有《稼轩诗文钞存》。词有《稼轩长短句》，计620余首。

菩萨蛮

书江西造口壁[①]

郁孤台下清江水[②]，中间多少行人泪？
西北望长安[③]，可怜无数山。
青山遮不住，毕竟东流去[④]。江晚正愁

予[5]，山深闻鹧鸪[6]。

【注释】

①造口：即皂口，在江西万安县西南六十里，当皂口溪汇合赣江处。今有皂口镇。

②郁孤台：在江西赣州西南。《赣县志》："郁孤台在文壁山，一名贺兰山。其山隆阜，郁然孤峙，故名。唐李勉为州刺史，登台北望，慨然曰：'余虽不及子牟，心在魏阙，一也。郁孤岂令名乎？'乃易匾为望阙。"宋绍兴十七年，知府军曾慥增筑二台，南曰郁孤，北曰望阙。清江水：赣江合章、贡二水得名。相传章水流清，贡水流浊。此清江水指赣江言。

③西北望：《全宋词》作"东北是"。长安：代指汴京。

④东流：《全宋词》作"江流"。

⑤愁予：屈原《九歌·湘夫人》："帝子降兮北渚，目眇眇兮愁予。"

⑥鹧鸪：鸟名。古人以其啼声如"行不得也哥哥"。

【赏析】

此词为作者早年之作。"青山遮不住，毕竟东流去"二句，表面上是写十八滩山势江流，却含有对时局颓势无尽惋惜失望之情，据罗大经《鹤林玉露》云：南渡初，金人追隆裕太后（宋哲宗废后孟氏）御舟至造口，不及而还；"言山深闻鹧鸪之句，谓恢复之事，行不得也"。可备一说。作者志在北伐，而朝廷苟安于江南，于是用"鹧鸪"隐喻其意。《异物志》："鹧鸪其志怀南，不思北徂。"是其意显明矣。

贺新郎

别茂嘉十二弟[①]

绿树听鹈鴂[②]，更那堪、鹧鸪声住，杜鹃声切。啼到春归无寻处，苦恨芳菲都歇[③]。算未抵人间离别。马上琵琶关塞黑[④]，更长门、翠辇辞金阙[⑤]。看燕燕，送归妾[⑥]。

将军百战身名裂[⑦]，向河梁、回头万里，故人长绝[⑧]。易水萧萧西风冷，满座衣冠似雪。正壮士、悲歌未彻[⑨]。啼鸟还知如许恨，料不啼清泪长啼血，谁共我，醉明月。

【注释】

①茂嘉：即辛茂嘉，作者的族弟，被贬官桂林，因作此篇以别之。

②鹈鴂：即䴗鴂。宋洪兴祖《离骚补注》引《禽经》云："江介曰：'子规，蜀右曰杜宇。'又曰：'䴗鴂，鸣而草衰。'注云：'䴗鴂，《尔雅》谓之鵙，《左传》谓之伯赵。然则子规、䴗鴂二物也。'"

③芳菲都歇：《离骚》："恐鹈鴂之先鸣兮，使夫百草为之不芳。"李善注："言我恐鹈鴂以先春分鸣，使百草华英摧落，芬芳不成，以喻谗言先使忠直之士被罪过也。"芳菲：花。

④马上琵琶句：暗用昭君出塞事。石崇《王明君辞序》："昔公主嫁乌孙，令琵琶马上作乐，以慰其道路之思。"杜甫《梦李白》二首之一："魂返关塞黑。"

⑤更长门句：用汉武帝陈皇后事。汉司马相如《长门赋·序》："孝武皇帝陈皇后时得幸，颇妒，别在长门宫，愁闷悲思。"此句承接上句意，谓王昭君自冷宫出，辞别汉阙而赴匈奴。

⑥看燕燕二句：用庄姜送戴妫事。《诗·邶风·燕燕序》："燕燕，卫庄姜送归妾也。"郑笺云："庄姜无子，陈女戴妫生子名完，庄姜以为己子。庄公薨，完立而州吁杀之。戴妫于是大归。庄姜远送之于野，诗见己志。"其诗云："燕燕于飞，差池其羽。之子于归，远送于野。瞻望弗及，涕泣如雨。"此词上片皆言女子之别。

⑦将军句：指汉将李陵降匈奴事。李陵与匈奴多次作战，后因兵少乏救，矢尽道亡，战败降匈奴。

⑧向河梁二句：李陵降匈奴后，苏武出使匈奴被留十九年得还汉，李陵相送，作《与苏武》诗，有"携手上河梁，游子暮何之"句。

⑨易水三句：用荆轲事。《史记·刺客列传》载，荆轲辞燕，欲入秦刺秦王，"太子及宾客知其事者，皆白衣冠以送之。至易水之上，既祖，取道，高渐离击筑，荆轲和而歌，为变徵之声，士皆垂泪涕泣。又前而为歌曰：'风萧萧兮易水寒，壮士一去兮不复还。'"下片皆言男子之别。

【赏析】

这是一首很负盛名的送别词。辛茂嘉是作者族弟，他南归宋室本为北伐抗金，结果反被贬到更南的广西。因此此词非一般的赠别，而是借题发挥，抒国家兴亡之感。起片三句列举三鸟啼鸣悲切，哀叹大好春光的消退。且以"其志怀南"（《异物志》）之鹧鸪，鸣必向北之杜鹃，暗喻茂嘉处境之尴尬。承以"琵琶"、"翠辇"、"燕燕"诸典，皆寓恨别意。后阕用苏武、李陵河梁之别，荆轲、高渐离易水之别，切失败英雄之悲。

此词遽读之难免觉其词太泛，不似兄弟相别之情；细读之，生死之际，南北之分，家国之痛，离别之情，实有非言所能尽者。陈廷焯《白雨斋词话》评此词云："沉郁苍凉，跳跃动荡，古今无此笔力。"

水龙吟

登建康赏心亭[1]

楚天千里清秋[2]，水随天去秋无际。遥岑远目[3]，献愁供恨，玉簪螺髻[4]。落日楼头，断鸿声里[5]，江南游子[6]，把吴钩看了[7]，栏干拍遍，无人会，登临意。

休说鲈鱼堪脍。尽西风、季鹰归未[8]？求田问舍，怕应羞见，刘郎才气[9]。可惜流年[10]，忧愁风雨，树犹如此[11]。倩何人、唤取盈盈翠袖[12]，揾英雄泪[13]。

【注释】

①建康：今江苏南京市。赏心亭：据《景定建康志》卷二十二："赏心亭在下水门之城上，下临秦淮，尽观览之胜。"

②楚天：泛指南方的天空。

③遥岑：远山。韩愈《城南联句》："遥岑出寸碧，远目增双明。"

④玉簪螺髻：喻山。韩愈《送桂州严大夫》诗："江作青罗带，山如碧玉簪。"唐皮日休《缥缈峰》诗："似将青螺髻，撒在明月中。"

⑤断鸿：失群之雁。宋柳永《玉蝴蝶》词："断鸿声里，立尽斜阳。"

⑥江南游子：作者以北人而南来，故云。

⑦吴钩：宝剑名。杜甫《后出塞》："少年别有赠，含笑看吴钩。"李贺《南园》："男儿何不带吴钩，收取关山五十州。"

⑧休说三句：《晋书·张翰传》："翰因见秋风起，乃思吴中菰菜、莼羹、鲈鱼脍，曰：'人生贵得适志，何能羁宦数千里以要名爵乎！'遂命驾而归。"季鹰：张翰字。此三句言自己不愿隐退。

⑨求田三句：《三国志·魏志·陈登传》："许汜与刘备并在荆州牧刘表坐，表与备共论天下人。汜曰：'陈元龙湖海之士，豪气不除。……昔遭乱过下邳，见元龙。元龙无客主之意，久不相与语，自上大床卧，使客卧下床。'备曰：'君有国士之名，今天下大乱，帝王所失，望君忧国忘家，有救世之意。而君求田问舍，言无可采，是元龙所讳也，何缘当与君语！如小人，欲卧百尺楼上，卧君于地，何但上下床之间耶？'"刘郎：指刘备。

⑩流年：流逝的岁月。

⑪树犹如此：《世说新语·言语》："桓公(温)北伐，经金城，见前为琅琊时种柳皆已十围，慨然曰：'木犹如此，人何以堪！'攀枝折条，泫然流泪。"庾信《枯树赋》引桓温语作"树犹如此"。

⑫盈盈翠袖：一作“红巾翠袖”，指歌女。
⑬揾：擦拭。

【赏析】

此词是宋孝宗乾道五年(1169年)辛弃疾任建康府通判(州府行政长官的助理)时所作。作者本是一个意气风发的抗金战士，二十三岁南渡以后，一直没有得到朝廷的重视。那种报国无门、壮志难酬的一腔悲愤全倾注于此词中。上片写景抒情，首二句先写秋意高远开阔，后二句阐国土沦陷之痛，沉郁悲怆。下片转为言志，曲折迂回地写出自己的抑郁心情：首先陈述自己不像张翰那样为了“莼羹鲈脍”而回故乡，并以许汜的“求田问舍”为羞耻，同时又表达自己功业未建年华虚掷的感叹。失意英雄泪，纷纷痛何如！此词可取与王粲《登楼赋》同看。

木兰花慢

滁州送范倅[1]

老来情味减，对别酒，怯流年[2]。况屈指中秋，十分好月，不照人圆。无情水都不管，共西风、只管送归船。秋晚莼鲈江上[3]，夜深儿女灯前[4]。

征衫便好去朝天[5]，玉殿正思贤。想夜半承明[6]，留教视草[7]，却遣筹边。长安故人问我，道愁肠殢酒只依然[8]。目断秋霄落雁，醉来时响空弦[9]。

【注释】

①范倅:或以为即范昂,作者知滁州时的副职。

②对别酒二句:杜牧《代寄薛军事》诗:“谁与惜流年。”

③莼鲈:《晋书·张翰传》:“翰,因见秋风起,乃思吴中菰菜、莼羹、鲈鱼脍,曰:‘人生贵得适志,何能羁宦数千里,以要名爵乎?’遂命驾而归。”

④夜深句:黄庭坚《寄叔父夷仲》诗:“儿女灯前语夜深。”

⑤好去朝天:王建《贺东平功成》诗:“春风双节好朝天。”

⑥承明句:《汉书·严助传》:“君厌承明之庐,劳侍从之事。”张晏注:“承明庐在石渠阁外,直宿所止日庐。”

⑦视草句:《汉书·淮南王安传》:“武帝方好艺文,以安属为诸父,辩博善为文词,甚尊重之。每为报书及赐,常召司马相如等视草乃遣。”注:“草:谓为文之稿草。”

⑧愁肠殢酒:韩偓《有忆》诗:“愁肠殢酒人千里。”

⑨目断二句:《世说新语·巧艺篇》:“顾长康道画,手挥五弦易,目送归鸿难。”嵇康《赠秀才公穆入军》:“目送归鸿,手挥五弦。”

【赏析】

此词作于乾道八年(1172年)滁州(今属安徽)任上。作者此时正在壮年,起韵“老来情味减”三句,言自奉表南来,置于闲散,忽忽十年,不得不言老矣。此“老”字又当作别解,“怯流年”句,正“老”字之注脚。“况屈指中秋”三句,点出送行时节,月圆人去,最有情致。“无情水”二句,是人有情而流水无情,流水不管人之留客而只管送客。结韵并羡其到家之天伦之乐。下片是为范倅到临安而先设想之情。征衫未换,即好入朝,朝廷正在思贤,将有大用之望。是寄托也是勉励。至此转出“长安故人问我”二句，无限沉沦，几分落拓，与上“老来情味减”相应。作者志在抗金，却总不能引兵北伐，因而结韵二句感愤殊深。

破阵子[①]

为陈同甫赋壮词以寄[②]

醉里挑灯看剑，梦回吹角连营。八百里分麾下炙[③]，五十弦翻塞外声[④]。沙场秋点兵。

马作的卢飞快[⑤]，弓如霹雳弦惊[⑥]。了却君王天下事[⑦]，赢得生前身后名[⑧]。可怜白发生。

【注释】

①又名《十拍子》，见《云谣集杂曲子》，唐教坊曲，用作词调。唐曲《破阵子》出于大曲《破阵乐》，与《十拍子》同属教坊，未知为何宋时二名合一。

②陈同甫：即陈亮，字同甫（甫又作父），南宋著名思想家，亦善词。

③八百里句：指部下分食熟牛肉。《晋书·王济传》及《世说新语·汰侈篇》均载王恺有牛，名八百里驳，王恺与王济比射箭，恺输，杀此牛作炙。苏轼《约公择饮，是日大风》诗：“要当啖公八百里，豪气一洗儒生酸。”麾下：部下。炙：烤肉。又，辛弃疾曾举义山东，任耿京义军掌书记，耿有部众数十万，故“八百里”又可释为当年义军占地之广。

④五十弦：指瑟。此代各种乐器。李商隐《锦瑟》诗："锦瑟无端五十弦。"翻：演奏。

⑤作：似，如。的卢：一种烈性骏马。《相马经》："马白额入口齿者，名曰榆雁，一名的卢。"相传刘备在荆州时遭遇危难，胯下的卢"一跃三丈"，脱离险境（见《三国志·先主传》引《世语》）。

⑥霹雳：雷声，喻射箭时的弓弦响声。《北史·长孙晟传》："突厥之内，大畏长孙总管，闻其弓声，谓为霹雳。"

⑦天下事：指收复被金人所占的中原。

⑧生前身后名：《晋书·张翰传》载，翰任心自适，不求当世，曾谓"使我有身后名，不如即时一杯酒"。

【赏析】

此词是作者被劾罢官、流寓江南时所作，沉雄悲壮，可谓"字字跳踯而出"（陈亦峰语）。首句言从醉中挑灯看剑，隐然有飞动之意，是从近境而出。后句"梦回"，是从远境而回，境界壮阔。后阕言弓言马，言军容之盛，有直捣黄龙之慨。"了却君王天下事"二句，是假想如此，说到此兴高采烈之处，蓦然一跌"可怜白发生"，而一切落空。全词自首句至"身后名"，皆幻想之事，亦作者与陈亮平生之素愿，俱不得遂。虽题曰"壮词"，实却"衰词"也。

沁园春

将止酒，戒酒杯勿使近。

杯汝来前，老子今朝，点检形骸[1]：甚

长年抱渴，咽如焦釜[②]；于今喜睡，气似奔雷[③]。汝说刘伶，古今达者，醉后何妨死便埋[④]。浑如此，叹汝于知己，真少恩哉[⑤]！

更凭歌舞为媒，算合作人间鸩毒猜[⑥]。况怨无大小，生于所爱[⑦]；物无美恶，过则为灾[⑧]。与汝成言："勿留亟退，吾力犹能肆汝杯[⑨]。"杯再拜，道"麾之即去[⑩]，招则须来"。

【注释】

①点检形骸：即检查身体（表示要保养珍摄的意思）。

②抱渴：患酒渴病。《世说新语·任诞》："刘伶病酒渴甚，从妇求饮。"咽如焦釜：喉咙里燥热得像烧焦了的锅子。

③于今喜睡二句：是说现在生病了不能喝酒，喜欢睡觉。气似奔雷：即言鼾声如雷。

④死便埋：《晋书·刘伶传》载刘伶（竹林七贤之一）："常乘鹿车，携一壶酒，使人荷锸而随之，谓曰：'死便埋我。'"

⑤叹汝于知己二句：知己，指嗜酒的人。少恩：指醉人于死而言。

⑥鸩毒猜：疑为毒药。鸩鸟的羽毛有毒，蘸酒饮之即死，故云鸩毒。

⑦怨无大小二句：谓没有爱就不会产生怨。
⑧物无美恶二句：谓事物的本身并没有什么美恶好坏，问题在于人们嗜好过度的时候便会成为危害。时作者饮酒成病，故云。
⑨肆：对付。
⑩麾：同“挥”。

【赏析】

这首戒酒词作于宋宁宗庆元二年(1196年)，风格独特。刘体仁《七颂堂词绎》批评此词“非词家本色”，只是以旧词家眼光度量，不足取信。此词的特征在于以文为词，不拘绳墨，打破成规和传统所谓词的韵味，充分发挥了自由放肆的精神。词中并反复讲述事理，虽难免一病，但别有风趣，即所谓“东坡为词诗，稼轩为词论”(陈模《怀古录》引)是也。此词面上是怨酒“少恩”，实际上流露出“英雄无用武之地”的政治失意的苦闷。

永遇乐[①]

京口北固亭怀古[②]

千古江山，英雄无觅，孙仲谋处[③]。舞榭歌台，风流总被，雨打风吹去[④]。斜阳草树，寻常巷陌[⑤]，人道寄奴曾住[⑥]。想当年，金戈铁马，气吞万里如虎[⑦]。

元嘉草草[⑧]，封狼居胥[⑨]，赢得仓皇北顾[⑩]。四十三年，望中犹记，烽火扬州路[⑪]。可堪回首，佛狸祠下[⑫]，一片神鸦社鼓[⑬]。凭谁问：廉颇老矣，尚能饭否⑭？

【注释】

①又名《永遇乐慢》、《消息》。始见柳永《乐章集》。在北宋时，此调押仄韵，南宋时，陈允平改此调为平韵。

②京口：今江苏镇江市。北固亭：在镇江北固山上，临长江，又名北顾亭。

③孙仲谋：孙权，字仲谋，三国时吴国皇帝，曾在京口立都，击败来犯的曹操军队，建立了江东的基业。

④舞榭三句：谓孙权的英雄业绩已逐渐消亡。风流：指英雄事业的流风馀韵。

⑤寻常巷陌：普通的街道。

⑥寄奴：指刘裕。刘裕，南朝宋武帝，字德舆，小字寄奴，其先世随晋室南渡，居京口，本人起兵于此，平定桓玄之乱，灭东晋，自立帝。

⑦想当年三句：指刘裕挥兵北伐、取得成功之事。史载刘裕曾两率晋师北伐，先后灭南燕、后秦，收复洛阳、长安等地。

⑧元嘉：刘裕之子宋文帝刘义隆年号（424－453年）。草草：草率、仓促从事。

⑨封狼居胥：《史记·霍去病传》载，汉武帝元狩四年（前119年），霍去病率五万骑兵追击匈奴至狼居胥山，封山而归。此处表宋文帝轻信王玄谟言，草率北伐。《宋书·王玄谟传》："玄谟每陈北侵之策，上谓殷景仁曰：'闻玄谟陈说，使人有封狼居胥意。'"封：筑坛于山以祭天。狼居胥：一名狼山，在今内蒙古自治区西北部。

⑩赢得句：指元嘉二十七年（450年）王玄谟北伐失败，后魏军队追击至长江边，称要渡江，都城为之惊恐。文帝作诗表示悔意："逆虏乱疆埸，边将婴寇仇。……惆怅惧迁逝，北顾涕交流。"参阅《南史·宋

文帝纪》《宋书·索虏传》。

⑪四十三年三句：回忆自己南归前经历。四十三年：作者于绍兴三十二年（1162年）率部南归，至开禧元年（1205年）作此词于镇江知府任上，共计四十三年。烽火扬州路：指作者南归前后扬州一带烽火弥漫。路：宋时行政区域名，扬州当时属淮南东路。

⑫佛狸祠：北魏太武帝小字佛狸，他在击败王玄谟后，率追兵直到长江北岸的瓜步山，在山上建行宫，后人称佛狸祠。

⑬神鸦：祠庙中食祭品的乌鸦。社鼓：乡间社日时祭神的鼓声。

⑭廉颇二句：自拟廉颇以表雄心。廉颇：战国时赵国大将，屡挫秦兵。后被诬，亡于魏，赵王遣使视其是否可用，"赵使者既见廉颇，廉颇为之一饭斗米，肉十斤，被甲上马，以示尚可用。赵使者还报王曰：'廉将军虽老，尚善饭。然与臣坐顷之，三遗矢矣。'赵王以为老，遂不召。"此系使者受廉颇仇家郭升贿而谗之。事见《史记·廉颇蔺相如列传》。

【赏析】

此词作于宋宁宗开禧元年（1205年）。时作者以六十六岁高龄在镇江知府任上。登北固亭抚今日之残局而发思古之幽情。上片前两韵说孙权，创业江东，抗拒强敌；后两韵说刘裕，起事京口，骎骎乎已有恢复中原之象：稼轩虽已年老，而老当益壮，以二人自况。后阕从刘义隆往事而论述今日不能恢复故国之可哀：刘义隆草草出师北伐，竟遭惨败；今之韩侂胄不修战备，急欲出兵伐金，势将有元嘉北伐之结局，如何不虑？而四十三年后重来登临，失地未复，怎堪回首？结句以廉颇自喻，以示至老不衰之抗敌气概，且喻有人阻挠，使志不能伸。杨慎《词品》云："辛词当以京口北固亭怀古《永遇乐》为第一。"

南乡子[①]

登京口北固亭有怀[②]

何处望神州[③]？满眼风光北固楼[④]。千古兴亡多少事？悠悠。不尽长江滚滚流[⑤]。
年少万兜鍪[⑥]。坐断东南战未休。天下英雄谁敌手？曹刘[⑦]。生子当如孙仲谋[⑧]。

【注释】

①唐教坊曲名，用作词调，又名《莫思乡》《仙乡子》《蕉叶怨》等。

②京口北固亭：见前《永遇乐》注。

③神州：此指中原沦陷区。

④满眼句：联系前后文，有《世说新语·言语》“过江诸人”“新亭对泣”时感慨“风景不殊，举目有河山之异”况味。

⑤不尽句：杜甫《登高》诗：“无边落木萧萧下，不尽长江滚滚来。”

⑥年少句：指孙权。他十九岁时为吴主，继承父兄事业。万兜鍪：指统帅大军。

⑦天下二句：《三国志·先主传》载，曹操对刘备说：“今天下英雄，唯使君与操耳，本初（袁绍）之徒，不足数也。”

⑧生子句：《三国志·孙权传》注引《吴历》：“（曹）公见舟船、器仗、军伍整肃，喟然叹曰：‘生子当如孙仲谋，刘景升（刘表）儿子若豚犬耳。’”孙权，字仲谋。

【赏析】

此词和前篇《永遇乐》是同年、同地，且同为怀古之作，可以并读。作者对孙权在历史上的地位作用，评价并不过高(参见《美芹十论 · 自治第四》)，这里把他作为杰出的英雄来歌颂，更多的是由于认为他和不战而屈的刘琮不同，勇于抵抗并战胜进犯者，含有极其明显的借古讽今之意。通篇问答自如，风格明快，情调乐观昂扬，与《永遇乐》的情调沉郁自有不同处。

西江月

遣兴①

醉里且贪欢笑，要愁那得工夫。近来始觉古人书，信著全无是处②。

昨夜松边醉倒，问松“我醉何如？”只疑松动要来扶，以手推松曰“去！”

【注释】

①遣兴：即遣怀。兴，意兴。

②近来始觉古人书二句：《孟子 · 尽心下》：“尽信书，则不如无书。”

【赏析】

此词上片言古人书“信著全无是处”，并不是菲薄古人，否定一切古书的意义，而是针对当时政治上是非混淆言之；下片写醉态，虽无意求新，却也戛戛独造，别具意态。全词实写一“愁”字，纯从反面写，皆是对政治现实不满的一种表示。

水调歌头

舟次扬州，和杨济翁、周显先韵[1]。

落日塞尘起，胡骑猎清秋[2]。汉家组练十万[3]，列舰耸层楼。谁道投鞭飞渡[4]，忆昔鸣髇血污[5]，风雨佛狸愁[6]。季子正年少，匹马黑貂裘[7]。

今老矣，搔白首，过扬州。倦游欲去江上，手种橘千头[8]。二客东南名胜[9]，万卷诗书事业，尝试与君谋。莫射南山虎，直觅富民侯[10]。

【注释】

①杨济翁：名炎正，字济翁，庐陵人。与辛弃疾相交甚久。

②胡骑句：指金兵南侵。古时游牧民族当秋高马肥之时，常借围猎之名以侵扰。

③组练：即组甲被练，指军队。《左传·襄公三年》："春，楚子重伐吴……使邓廖帅组甲三百，被练三千以侵吴。"苏轼《催试官考较戏作》诗："八月十八潮，壮观天下无。鲲鹏水击三千里，组练长驱十万夫。"

④投鞭：苻坚侵东晋，自恃兵多将广，曰："以吾之众，投鞭于江，足断其流。"见《晋书·苻坚载记》。

⑤鸣髇：即鸣镝，响箭。匈奴头曼单于太子冒顿作鸣镝，命令左右："鸣

镝所射而不悉射者斩之。”后从其父猎，以鸣镝射父，左右亦射，杀头曼。

⑥佛狸：北魏太武帝拓跋焘的小字。他曾南侵刘宋，兵败归国后为部下所杀。参见前《永遇乐》(千古江山)注。以上二句合二典，借指金主完颜亮南侵失败，被部属所杀事。

⑦季子二句：《战国策·赵策》：“李兑送苏秦明月之珠，和氏之璧，黑貂之裘，黄金百斤，苏秦得以为用，西入于秦。”季子：苏秦字。以上系借典自述奉表南归少年时事。

⑧倦游二句：谓无意为官，而欲隐居。《襄阳耆旧传》：“李衡为丹阳太守，遣人种橘千株。临死，敕儿曰：‘吾州有千头木奴，不责汝食，岁上匹绢亦当足用耳。’”《史记·货殖列传》：“安邑千树枣，燕、赵千树栗，蜀、汉、江陵千树橘……此其人皆与万户侯等。”唐张守义《正义》：“言不仕之人自有田园收养之给，其利比于封君，故曰素封也。”

⑨东南名胜：《资治通鉴》卷一一二《晋纪》胡三省注：“江东人士，其名位通显于时者，率谓之佳胜、名胜。”

⑩射南山虎：《史记·李将军列传》：“广家居蓝田南山中，射猎。见草中石，以为虎而射之。”富民侯：《汉书·食货志》：“武帝末年，悔征伐之事，乃封丞相为富民侯。”林逋《送王舍人罢两浙宪赴闽》诗：“当拜富民侯。”

【赏析】

此词为作者和杨炎正“登多景楼”韵所作。起首两句，写落日江岸，观胡骑出猎，以说明当时形势。次二句，描写江上军容甚壮，汉家水军，正可一用。转而写敌势虽强，但内讧频起。后阕直述今日之江行。“倦游”二句，有慨乎英雄无用武之地，而作求田问舍之计，非作者自谓，切杨炎正原词而言。此时作者正当中年，壮志何能自已，急欲建功立业觅取封侯事。此末二句词中可见矣。

水调歌头

落日古城角，把酒劝君留。长安路远，何事风雪敝貂裘[①]？散尽黄金身世[②]，不管秦楼人怨[③]，归计狎沙鸥。明夜扁舟去，和月载离愁。

功名事，身未老，几时休。诗书万卷，致身须到古伊周[④]。莫学班超投笔[⑤]，纵得封侯万里，憔悴老边州[⑥]。何处依刘客[⑦]，寂寞赋《登楼》[⑧]。

【注释】

①敝貂裘：《战国策·秦策》："苏秦始将连横说秦王，书十上而说不行，黑貂之裘敝，黄金百斤尽。"苏轼《浣溪沙》："谁怜季子敝貂裘。"

②散尽黄金：李白《将进酒》："千金散尽还复来。"

③秦楼：《汉乐府》："日出东南隅，照我秦氏楼。"

④致身：《论语》："仕君能致其身。"伊周：即伊尹、周公。

⑤班超投笔：《后汉书·班超传》："超与母随（兄）至洛阳，家贫，常为官佣书以供养。久劳苦，尝辍业投笔叹曰：'大丈夫无他志略，犹当效傅介子、张骞，立功异域，以取封侯，安能久事笔砚间乎？'"

⑥憔悴老边州：班超出西域三十一年，封定远侯，上疏乞还，至洛阳卒。

边州：张渭《送卢举使河源》："故人行役向边州。"
⑦依刘：《三国志·王粲传》："以西京扰乱，皆不就，乃之荆州依刘表。"
⑧《登楼》：盛弘之《荆州记》："当阳县城楼，王仲宣（粲）登之而作赋。"

【赏析】

此词当是送人入长安之作，长安此时已经陷落金国之手。上阕首韵二句，为平常道行之语。下阕"功名事"至"致身须到古伊周"四句，皆勉客之语。转出三句，是盼其早日归来，莫如班超之长年留在异域，纵得封侯，而人老边州矣。此为一首主旨。后人有评云："起得突兀。"

水调歌头

淳熙丁酉，自江陵移师隆兴①。到官之三月，被召。司马监、赵卿、王漕饯别②。司马赋《水调歌头》，席间次韵。时王公明枢密薨，坐客终日为兴门户之叹③，故前章及之。

我饮不须劝，正怕酒尊空[④]。别离亦复何恨，此别恨匆匆！头上貂蝉贵客[⑤]，苑外麒麟高冢[⑥]，人世竟谁雄！一笑出门去，千里落花风。

孙刘辈，能使我，不为公[⑦]。余发种种如是[⑧]，此事付渠侬。但觉平生湖海，除了醉吟风月，此外百无功。毫发皆帝力[⑨]，更乞鉴湖东[⑩]。

【注释】

①淳熙丁酉：即宋孝宗淳熙四年（1177年），时作者三十八岁。隆兴：即今江西南昌。《宋史·辛弃疾传》："由湖北安抚迁知隆兴府，兼江西安抚，寻以大理少卿召。"

②司马监：即司马汉章，名倬，司马季思之兄。赵卿：疑为赵善俊，以龙图阁直学士知隆兴府，淳熙中任。王漕：疑指王正之。

③王公明：名炎，安阳（今属河南）人。乾道五年自端明殿学士签书枢密，九年罢，提举洞霄宫，是年薨。门户之叹：亦指作者此被召事。

④酒尊空：《后汉书·孔融传》："融尝曰：'座上客常满，樽中酒不空，吾无忧矣。'"

⑤貂蝉贵客：《古今注》："貂蝉，胡服也。貂者，取其有文采而不炳焕，外柔而内刚劲也。蝉者，取其清虚识变也。"按：宋亦有貂蝉冠，《宋史·舆服志》："貂蝉冠一名笼巾，织藤，漆之，形正方如平巾帻，饰以银。前有银花，上缀玳瑁蝉，左右为三小蝉，衔玉鼻，左插貂尾。"

⑥苑外麒麟：杜甫《曲江》诗："苑边高冢卧麒麟。"

⑦孙刘辈三句：《南史·顾恺之传》：曹兴宗与顾恺之善，嫌其风节过

峻。恺之曰:"辛毗有云:'孙、刘不过使吾不为三公。'"《三国志·魏书·辛毗传》:"时中书监刘放、令孙资见信于主,制断时政,大臣莫不交好,而毗不与往来。毗子敞谏曰:'今孙、刘用事,众皆影附,大人宜小降意。'毗正色曰:'……就与孙、刘不平,不过令吾不作三公而已。何危害之有?焉有大丈夫欲为公而毁其高节者邪?'"

⑧余发种种:《左传·昭公三年》:"齐侯田于莒,卢蒲嫳见,泣且请曰:'余发如此种种,余奚能为?'"种种:发短也。

⑨毫发皆帝力:《史记·张耳陈馀列传》:"张敖啮其指出血,曰:'君何言之误!且先人亡国,赖高祖得复国,德流子孙,秋毫皆帝力也,愿君无复出口。'"

⑩乞鉴湖:《新唐书·隐逸传》:"贺知章天宝初病,梦游帝居,数日寤,乃请为道士……又求周官湖数顷为放生池,有诏赐镜湖剡川一曲。"镜湖一名鉴湖,在今浙江绍兴县南。苏轼《次韵子由使契丹至涿州见寄四首》:"欲向君王乞鉴湖。"

【赏析】

此词起首"我饮不须劝"二句,从别筵说起。承以"别离亦复何恨"一韵,言移师隆兴只有三月,聚时太短。将别恨推进一层。"头上貂蝉贵客"三句,貂蝉是王公明之冠冕,麒麟是王公明之葬地,至此有"人世竟谁雄"之叹。结到自己"一笑出门去"二句,谓将入行都,"落花风"正筵前景物,措辞清淡,而意境深沉。后阕结合政局人事,抒发自己的志向。李濂有评曰:"前章甚佳,老手笔自是惊人。"

贺新郎

邑中园亭，仆皆为赋此词。一日，独坐停云[①]，水声山色竞来相娱，意溪山欲援例者。遂作数语，庶几仿佛渊明思亲友之意云[②]。

甚矣吾衰矣[③]！怅平生、交游零落，只今馀几？白发空垂三千丈[④]，一笑人间万事，问何物、能令公喜[⑤]？我见青山多妩媚，料青山、见我应如是。情与貌，略相似。

一尊搔首东窗里[⑥]，想渊明《停云》诗就，此时风味。江左沉酣求名者，岂识浊醪妙理[⑦]！回首叫云飞风起。不恨古人吾不见，恨古人、不见吾狂耳[⑧]。知我者，二三子[⑨]。

【注释】

①停云：即停云堂，以陶潜诗篇命名，为作者山居建筑之一。

②思亲友：陶潜《停云诗·序》："停云，思亲友也。"

③甚矣句：《论语·述而》："子曰：'甚矣吾衰矣！久矣吾不复梦见周公。'"

④白发句：李白《秋浦歌》："白发三千丈，缘愁似个长。"

⑤令公喜：《晋书·郗超传》："桓温辟为椽。时王珣为温主簿，皆为温所重。府中语曰：'髯参军，短主簿，能令公喜，能令公怒。'"

⑥搔首东窗：陶潜《停云》诗："静寄东轩，春醪独抚。良朋悠邈，搔首延

伫。”“有酒有酒，闲饮东窗。愿言怀人，舟车靡从。”

⑦江左句：苏轼《和陶渊明饮酒诗》：“江左风流人，醉中亦求名。”

⑧不恨二句：《南史·张融传》载张融常叹曰：“不恨我不见古人，所恨古人又不见我。”

⑨二三子：《论语·阳货》：“二三子，偃之言是也。”

【赏析】

此词是作者罢福建安抚任，卜筑期思以后之作，其时作者已经五十六岁。首句“甚矣吾衰矣”，深慨老而无用。“怅平生、交游零落”二句，是说自己在上饶隐居十年间，陈亮、陆九渊等先后下世，平生故交，零落殆尽，只余陆游、朱熹等数人而已。“停云亲友”之思，正从此中生出。人不我知，世不我用，水声山色，聊以相娱。“青山妩媚”二句，气度宏阔，似与李白《独坐敬亭山》同一心境。后阕首三句，正如陶渊明思亲友而作《停云》诗之境界，有“八表同昏”之感。“回首叫”以下，风云跌荡，有老骥伏枥之慨。假张融语，放开境界。“知我者，二三子”，关照上片之故人馀几，且又表出胸中无限气势。

陈　亮

陈亮(1143－1194年),字同甫,婺州永康(今属浙江)人。学者称为龙川先生。《宋史》称他“为人才气超迈,喜谈兵,议论风生,下笔数千言立就”。对于“隆兴和议”,他不同众意,表示反对,始终坚持抗战。他一生没有做过官,光宗绍熙四年(1193年)考取进士第一名,授签书建康府判官厅公事,未至而卒,个人遭遇到很多不幸。在学术上有许多独到的见解。今传《龙川集》。

水调歌头

送章德茂大卿使虏[1]

不见南师久[2],谩说北群空[3]。当场只手[4],毕竟还我万夫雄[5]。自笑堂堂汉使,得似洋洋河水[6],依旧只流东!且复穹庐拜[7],会向藁街逢[8]。

尧之都,舜之壤,禹之封[9],于中应有,

一个半个耻臣戎[⑩]。万里腥膻如许[⑪]，千古
英灵安在？磅礴几时通[⑫]？胡运何须问[⑬]，
赫日自当中[⑭]。

【注释】

①此词作于淳熙十二年(1185年)末。章德茂：即章森，时以大理少卿为贺金世宗生辰使。《宋史·孝宗本纪》有“遣章森等贺金主生辰”记载。大卿：尚书之位。因相当于秦汉时的九卿，故尊称为“大卿”。虏：指金国。

②南师：指宋军。

③北群空：指无良马(即无良才)。唐韩愈《送温处士赴河阳军序》：“伯乐一过冀北之野，而马群遂空。……吾所谓空，非无马也，无良马也。”

④只手：单人匹马，独自支撑之意。时金人威势甚炽，宋臣多不愿出使。

⑤万夫雄：万夫之雄。

⑥洋洋：水盛貌。《诗经·卫风·硕人》：“河水洋洋。”

⑦穹庐：毡帐，中间高而四周低，故名，为北方少数民族所居。此指金廷。

⑧藁(gǎo)街：在汉代长安城南门内，外国使臣居此。《汉书·陈汤传》载陈汤出使西域，假朝廷令发兵斩郅支单于，上书奏请“悬头藁街蛮夷邸间，以示万里明：犯强汉者，虽远必诛”。

⑨尧之都三句：指中原地区。壤：土地。封：疆域。

⑩耻臣戎：耻于向戎虏臣服。戎：古指西方少数民族，此代金朝。

⑪腥膻：牛羊肉之气，北方少数民族以游牧为业，食牛羊肉，故云。

⑫磅礴句：指正气何时压倒邪气而通于天地间呢？

⑬胡运何须问：意思是说金国的命运用不着问，快完结了。

⑭赫日自当中：意谓南宋方兴未艾，它的前途犹如赤日之在中天。赫

日：赤色、光明之日。陈亮《上孝宗皇帝第一书》云："南师之不出，于今几年矣！河洛腥膻，而天地之正气郁而不得泄。岂以堂堂中国，而五十年之间无一豪杰之能自奋哉！其势必有时而发泄矣。"词中所表，与之相同。

【赏析】

自从宋孝宗初年北伐失败，"隆兴和议"订立屈辱的条款以后，二十年来，宋、金两国早已经是"化干戈为玉帛"了，恢复中原的大计被束之高阁。章森这次担任例行的庆贺使节到金国去，不是什么光彩的使命。作者在词中对章森寄予殷切的期望，只是以此浇心头反对和议之块垒。但通篇洋溢出来的强烈的民族自豪感和胜利信心，仍可昭鉴后人。陈亮词，正如他自许的为人一样，如"堂堂之阵，正正之旗，风雨云雷交发而并至，龙蛇虎豹变化而出没"。其所以如此，正在于他有着"推倒一世之智勇，开拓万古之心胸"的襟怀。

念奴娇

登多景楼[①]

危楼还望[②]，叹此意、今古几人曾会？
鬼设神施[③]，浑认作、天限南疆北界[④]。一水横陈，连岗三面[⑤]，做出争雄势。六朝何事，只成门户私计[⑥]？

因笑王谢诸人，登高怀远，也学英雄涕[⑦]。凭却长江，管不到、河洛腥膻无际[⑧]。

正好长驱，不须反顾，寻取中流誓[⑨]。小儿破贼[⑩]，势成宁问强对[⑪]！

【注释】

①多景楼：在江苏镇江市北固山甘露寺内，北面长江。

②危楼：高楼。还望：环顾。“还”同“环”。

③鬼设神施：是说江山构造的奇巧非人工所能。

④浑认作二句：意竟都认为长江是天然划分南北的疆界。

⑤一水横陈二句：镇江北面长江，东、南、西三面都被山冈环绕着。

⑥六朝：吴、东晋、宋、齐、梁、陈，都偏安江南，以建康（今江苏南京市）为都，称六朝。只成门户私计：是指南朝统治者依靠长江天堑作为偏安的自私打算。

⑦王谢诸人：泛指当时有声望的士大夫。此三句用《世说新语·言语》新亭对泣故事：“过江诸人，每至美日，辄相邀新亭，藉卉（坐在草地上）饮宴。周侯中坐而叹曰：‘风景不殊，正自有山河之异。’皆相视流泪。唯王丞相愀然变色曰：‘当共戮力王室，克复神州，何至作楚囚相对！’”

⑧河洛腥膻无际：意广阔的中原地带都被金兵占领，充满了腥膻之气。河洛：黄河、洛水，指中原地带。腥膻：牛羊的腥臊气，这里是对北方少数民族的蔑称。

⑨中流誓：《晋书·祖逖传》载，祖逖北伐渡江时，“中流击楫而誓曰：‘逖不能清中原而复济者，有如大江！’辞色壮烈，众皆慨叹”。

⑩小儿破贼：《资治通鉴》卷一百零五记淝水之战：“谢安得驿书，知秦兵已败。时方与客围棋，摄书置床上，了无喜色，围棋如故。客问之，徐答曰：‘小儿辈遂已破贼。’”小儿辈指的是统帅东晋军队和秦

兵作战的谢安的弟弟谢石、侄子谢玄。

⑪势成宁问强对：大势有利于我，又何必怕他是强敌。强对：犹言劲敌。《三国志·陆逊传》："逊按剑曰：'刘备天下知名，曹操所惮。今在境界，此强对也。'"

【赏析】

此词表现出作者卓越不凡的观点和坚定的爱国立场。他反对所谓天然界限、南北分家的谬论，批判了东晋士大夫悲观、失望的情绪，重申祖逖中流誓师、义无返顾的决心，认为江南的形势有利于争取中原，现在正当北伐的最好时机。全篇以政治策论入词，高屋建瓴，势不可当，颇有战国纵横家之气。

刘 过

刘过(1154－1206年),字改之,号龙洲道人。吉州太和(今江西泰和)人。屡试不第,落拓江湖。博学经史,喜与朋辈谈兵,数度上书,与时宰陈恢复方略,不用。生性疏豪倜傥,常浩歌痛饮,自放于礼法之外。与陆游、辛弃疾、陈亮交游。以诗名,词多壮语,著有《龙洲集》、《龙洲词》等。

沁园春

寄辛承旨,时承旨招,不赴[①]。

斗酒彘肩[②],风雨渡江[③],岂不快哉!被香山居士[④],约林和靖[⑤],与坡仙老[⑥],驾勒吾回[⑦]。坡谓:"西湖正如西子,浓抹淡妆临镜台。"[⑧]二公者,皆掉头不顾,只管衔杯。

白云:"天竺去来,图画里峥嵘楼观开。爱东西双涧,纵横水绕,两峰南北,高下云堆。"[⑨]逋曰:"不然,暗香浮动,争似孤山先探梅。"[⑩]须晴去,访稼轩未晚,且此徘徊。

【注释】

①寄辛承旨三句:《宋六十名家词·龙洲词》又题作“风雪中欲诣稼轩,久寓湖上,未能一往,因赋此词以自解”。按辛弃疾进枢密都承旨是他六十八岁死那年的事情,《宋史》本传称他“未受命而卒”。“承旨”字样,疑为后人所妄加。

②斗酒彘肩:《史记·项羽本纪》载樊哙见项王,项王赐与斗卮酒(一大斗酒)和彘肩(猪肘肉)。

③渡江:由杭州渡过钱塘江到绍兴。

④香山居士:白居易晚年自号香山居士。他曾做过杭州刺史。

⑤林和靖:即林逋(967－1028年),字君复,钱塘(今浙江杭州)人。他一生不做官,长期隐居西湖孤山,种梅养鹤。后人谥为“和靖先生”。

⑥坡仙老:苏轼自号东坡居士,后人称为“坡仙”。

⑦驾勒吾回:强拉我回去。

⑧西湖正如西子两句:苏轼《饮湖上初晴后雨》诗:“水光潋滟晴方好,山色空濛雨亦奇。欲把西湖比西子,淡妆浓抹总相宜。”

⑨天竺去来六句:白居易在杭州时,非常欣赏灵隐、天竺寺一带的景色。其《寄韬光禅师》诗:“东涧水流西涧水,南山云起北山云。”便是写东西二涧和南北两高峰的。

⑩暗香浮动:林逋《梅花》诗:“疏影横斜水清浅,暗香浮动月黄昏。”是为咏梅名句。

【赏析】

宋宁宗嘉泰三年(1203年),朝廷起用辛弃疾知绍兴府(今属浙江)兼浙东安抚使(掌管一路军政民政的长官)。刘过在杭州作此词寄给他。此词的体制和选用的题材都很奇特,才气横溢,同写散文一般,完全解除了格律的束缚，粗豪放肆。岳珂《桯史》曾讥笑作者“白日见鬼”，但辛弃疾很欣赏这首词。可以说它完全体现了辛派词自由放肆的特征，冲淡了宋词里的脂粉、油腻气。

西江月

贺词①

堂上谋臣尊俎②，边头将士干戈③。天时地利与人和④，燕可伐欤曰可⑤。

今日楼台鼎鼐⑥，明年带砺山河⑦。大家齐唱《大风歌》⑧，不日四方来贺。

【注释】

①此词为作者贺当时权臣韩侂胄生日所作。

②堂上句：指朝中谋臣已策划好。刘向《新序》：“夫不出于尊俎之间，而知千里之外，其晏子之谓也，可谓折冲矣。”尊：酒器。俎：盛肉之器。二者合称指筵席。

③边头句：谓戍边的将士执干戈以待敌。

④天时句：谓南宋北伐的条件已具备。《孟子·公孙丑下》：“孟子曰：‘天时不如地利，地利不如人和。’”

⑤燕可伐欤曰可：《孟子·公孙丑下》：“沈同以其私问孟子曰：‘燕可伐欤？’孟子曰：‘可。’”燕：春秋时的燕国，这里是指代金。

⑥楼台鼎鼐：宋王君玉《国老谈苑》载，魏野因寇准虽久居相位，却不营私第，赠诗云：“有官居鼎鼐，无地起楼台。”鼐：大鼎，与鼎均为烹调

器。《尚书·说命》载，商王武丁任傅说为相，以鼎调和五味喻宰相治国，后世遂以鼎言相位。这里是指韩侂胄。

⑦带砺山河：祝愿取得更高的封爵。《史记·高祖功臣侯年表序》："封爵之誓曰：'使河如带，泰山若厉，国以永宁，爰及苗裔。'"厉：通"砺"，磨石。

⑧《大风歌》：汉高祖衣锦还乡时作于沛县。《史记·高祖本纪》："高祖还归，过沛，留。置酒沛宫，悉召故人父老子弟纵酒。发沛中儿，得百二十人，教之歌。酒酣，高祖击筑，自为歌诗曰：'大风起兮云飞扬，威加海内兮归故乡，安得猛士兮守四方。'令儿皆和习之。"

【赏析】

宋嘉泰四年(1204年)，丞相韩侂胄定议伐金。此举在当时得到了许多士人支持。此词便是作者借韩侂胄生日预祝北伐胜利，词虽激昂奋进，豪情满怀，但偏安了这么久的南宋朝廷，唯有自保之力，已无力量和心气进行大规模的军事行动了。虽然此时的金国已非当年"强虏"，但北伐还是又一次失败，更加速了南宋王朝的衰败。这恐怕是作者等一班文人所无法预计的后果了。

刘克庄

刘克庄（1187—1269年），字潜夫，号后村居士，莆田（今属福建）人。嘉定二年（1209年）以恩补将仕郎，次年调靖安主簿。宝庆元年（1225年）知建阳。江湖诗案发，克庄卷入其中，后经郑清之力辩得解。端平初，入真德秀幕。淳祐六年（1246年）入对，赐同进士出身，除秘书少监，迁崇政殿说书，兼中书舍人。其后旋起旋废，景定五年（1264年）以焕章阁学士致仕，卒谥文定。诗词多感慨时事之作，是南宋江湖诗派和辛派词的重要人物。词风慷慨激越，粗放豪肆。有《后村先生大全集》等。

玉楼春

戏林推[①]

年年跃马长安市[②]，客舍似家家似寄[③]。
青钱换酒日无何[④]，红烛呼卢宵不寐[⑤]。
易挑锦妇机中字[⑥]，难得玉人心下事[⑦]。
男儿西北有神州，莫滴水西桥畔泪[⑧]。

【注释】

①戏林推：黄昇《花庵词选》题作“戏呈林节推乡兄”。节推：节度推官，

宋朝州郡的佐理官。

②长安：这里借指临安（杭州）。

③客舍句：是说做客的日子多，在家的日子少。

④青钱：古代的钱因成色不同，分青钱和黄钱两种，颜色青的即青钱。

⑤呼卢：指赌博。古时赌具有五木，类似骰子，五子全黑叫作卢，掷得卢者便获全胜，所以赌博时连连喊“卢”。

⑥机中字：《晋书·窦滔妻苏氏传》：“滔，苻坚时为秦州刺史，被徙流沙。苏氏思之，织锦为回文旋图诗以赠滔。宛转循环以读之，词甚凄婉。”

⑦玉人：美人，这里指妓女。

⑧水西桥：泛指玉人居住的地方。

【赏析】

本词题为“戏呈”，却为规箴。作者这位同乡推官，不顾西北烽火正紧，其职守在边庭，却年年岁岁临安冶游，白日纵酒，晚间豪赌，抛家弃子，青楼留情，实在可悲可叹。这正也反映出南宋末年朝廷苟安，文恬武嬉的颓废。“男儿西北有神州”句，可谓“壮语足以立懦”（况周颐《蕙风词话》引杨慎《词品》）也。

贺新郎

九日[①]

湛湛长空黑。更那堪斜风细雨[②]，乱愁如织。老眼平生空四海，赖有高楼百尺[③]。

看浩荡千崖秋色。白发书生神州泪，尽凄凉、不向牛山滴[4]。追往事，去无迹。

少年自负凌云笔[5]。到而今、春华落尽，满怀萧瑟。常恨世人新意少，爱说南朝狂客，把破帽年年拈出[6]。若对黄花孤负酒，怕黄花也笑人岑寂。鸿北去，日西匿[7]。

【注释】

①九日：即阴历九月九日重阳节。

②更那堪句：唐张志和《渔父》："斜风细雨不须归。"

③赖有句：用《三国志》载陈登事，参见本书辛弃疾《水龙吟》(登建康赏心亭)注。

④牛山：《晏子春秋·内篇谏上》："景公游于牛山，北临其国城而流涕，曰：'若何滂滂去此而死乎？'"

⑤凌云笔：《史记·司马相如列传》："相如既奏《大人》之颂，天子大说，飘飘有凌云之气，似游天地之间意。"杜甫《戏为六绝句》："凌云健笔意纵横。"

⑥爱说二句：《晋书·孟嘉传》云："(孟嘉)为征西桓温参军，温甚重之。九月九日，温登龙山，僚佐毕集。时佐吏并著戎服，有风至，吹嘉帽落，嘉不之觉。温使左右勿言，欲观其举止。嘉良久如厕，温令取还之，命孙盛作文嘲嘉，著嘉坐处。嘉还见，即答之，其文甚美，四坐嗟叹。"后世用"破帽"，由此引申而出。苏轼咏重九的《南乡子》词云："破帽多情却恋头。"

⑦日西匿：江淹《恨赋》："白日西匿，陇雁少飞。"匿，通"暱"。

【赏析】

本词以重阳风雨、千岩秋色作为衬托，抒发了作者怀念中原故国和自伤老大的感慨，雄放畅达，疏密有致。末句以鸿飞冥冥、日光隐耀的阴暗景象照应“湛湛长空黑”，可谓意馀言外。冯煦《宋六十一家词选·例言》推重云：“后村词与放翁、稼轩，犹鼎三足。其生丁南渡，拳拳君国，似放翁；志在有为，不欲以词人自域，似稼轩。”

忆秦娥

梅谢了，塞垣冻解鸿归早①。鸿归早，
凭伊问讯，大梁遗老②。
浙河西面边声悄③，淮河北去炊烟少。
炊烟少，宣和宫殿④，冷烟衰草。

【注释】

①塞垣：边塞的城墙。鸿归：大雁北上。

②大梁：战国时魏国的首都，即北宋的汴京(今河南开封市)。

③浙河句：指前线平静没有战事，暗指朝廷没有恢复中原的意图。浙河西面：指浙江西路。《宋史·地理志》：“两浙路……南渡后复分临安、平江、镇江、嘉兴四府，安吉、常、严三州，江阴一军为浙西路。”

④宣和：北宋徽宗年号(1119－1125年)。宣和七年，金兵略至汴梁城下，徽宗传位钦宗，仓皇出逃。第二年，改元靖康，金兵再至，掳归徽、钦二帝，北宋遂亡。

【赏析】

本词以枯笔描绘战乱后的场景，形象地表现出北宋遗民盼望南师的切切之情；转而又暗写南宋政府边声不启，无心恢复中原，感叹当政者安图现状、甘心受辱。伤时念乱，一股郁郁之气溢于言表。

满江红

夜雨凉甚，忽动从戎之兴。

金甲琱戈①，记当日、辕门初立②。磨盾鼻③，一挥千纸，龙蛇犹湿④。铁马晓嘶营壁冷，楼船夜渡风涛急。有谁怜、猿臂故将军⑤，无功级？

平戎策，从军什⑥，零落尽，慵收拾。把茶经香传⑦，时时温习。生怕客谈榆塞事⑧，且教儿诵《花间集》⑨。叹臣之壮也不如人⑩，今何及！

【注释】

①琱戈：雕刻着花纹的戈矛。琱：同“雕”。

②辕门初立：形容开始担任军中工作。辕门：军营门。刘克庄自二十三岁起，参加了好几年的军幕，负责草拟文书。

③磨盾鼻：在盾钮上磨墨，指军中作檄。《北史·荀济传》载荀济得悉萧衍将受禅为王，云：“会于盾鼻上磨墨檄之。”

④龙蛇：形容笔势飞舞貌。

⑤猿臂故将军：指李广。《史记·李将军列传》："广为人长，猿臂，其善射亦天性也。"李广与匈奴大小七十余战不得封侯，故下句有"无功级"之说。

⑥什：篇什，指诗词一类的文学作品。

⑦茶经：唐人陆羽嗜茶，著有《茶经》三篇，叙述有关茶叶的品种、制茶的器具以及烹饮的方法等。《宋史·艺文志》著录的《茶经》《茶谱》有十多种。香传：宋丁谓有《天香传》，谈香料的品种、焚香的器具和方法等。

⑧榆塞：北方边塞。《汉书·韩安国传》："累石为城，树榆为塞。"

⑨《花间集》：唐五代词集，五代蜀人赵崇祚编。其中大部分是描述男女爱情、离别相思的作品，风格绮靡。

⑩叹臣之壮也不如人：《左传·僖公三十年》载烛之武对郑文公云："臣之壮也，犹不如人；今老矣，无能为也已。"这里所谓"不如人"是故作谦辞，烛之武真正的意思是责怪郑文公没有及时用自己来担当国政。

【赏析】

宋宁宗嘉定十年(1217年)，金兵南侵，次年作者投笔从戎，赴建康入江淮制置使李珏幕任职。后因"江湖诗案"，被废置乡里十余年，但仍不忘国事。此词前段回忆军中生活，豪情满怀；后段全为反语，抒发报国无门、壮志难酬的悲愤之情。前后对比鲜明，有很强的感染力。

文天祥

文天祥（1236—1283年），本名云孙，字天祥，后改字宋瑞，一字履善，号文山。吉州庐陵（今江西吉安）人。宋宝祐四年（1256年）进士。德祐元年（1275年）在赣州组织义军抗击元兵，保卫临安。次年任右丞相，出使元营，拒绝投降，被拘，后逃亡。端宗即位，封信国公，坚持抵抗元军，力图恢复，兵败被俘，威武不屈，元至元十九年十二月初九被杀。

沁园春

题潮州双忠庙

为子死孝，为臣死忠，死又何妨！自光岳气分①，士无全节；君臣义缺，谁负刚肠。骂贼睢阳，爱君许远②，留得声名万古香。后来者，无二公之操，百炼之钢。

人生翕歘云亡③。好烈烈轰轰做一场。

使当时卖国，甘心降虏，受人唾骂，安得留芳。古庙幽沉[④]，仪容俨雅[⑤]，枯木寒鸦几夕阳。邮亭下[⑥]，有奸雄过此，仔细思量！

【注释】

①光岳：指日月星辰、天地山河。光，即三光——日、月、星。岳，即五岳——东岳、西岳、南岳、北岳、中岳，中国五大名山的别称。这句话是说自安史之乱起，天崩地陷，很少有守节不屈的志士。

②骂贼睢阳二句：分别指张巡和许远二人。安史之乱时，他们协力坚守睢阳（今属河南商丘），屏障江淮，终因粮尽援绝，城破被俘，从容就义。

③翕欻：即倏忽，形容时间之短。

④古庙：即潮阳的张巡、许远庙。据《隆庆潮阳县志》，此庙初建于北宋熙宁（1068－1077年）年间。

⑤俨雅：端庄、整肃。

⑥邮亭：古代设在驿道沿途，供传送文书的人和游人歇宿的馆舍。

【赏析】

南宋祥兴元年（1278年），文天祥以少保右丞相兼枢密使驻兵潮阳（今属广东），特意前往县城东郊拜谒后人为纪念张巡、许远而修建的双忠庙，并赋此词抒发其为国献身的决心。全篇采用议论和抒情相结合的表现手法，通过咏史，表达了作者在南宋亡国前夕力挽狂澜、视死如归的信念，爱憎分明，大义凛然，读来令人荡气回肠。

念奴娇

驿中言别友人[1]

水天空阔，恨东风、不借世间英物[2]。蜀鸟吴花残照里，忍见荒城颓壁[3]！铜雀春情，金人秋泪[4]，此恨凭谁雪！堂堂剑气，斗牛空认奇杰[5]。

那信江海馀生，南行万里[6]，属扁舟齐发[7]。正为鸥盟留醉眼，细看涛生云灭[8]。睨柱吞嬴[9]，回旗走懿[10]，千古冲冠发。伴人无寐，秦淮应是孤月。

【注释】

①驿：指金陵（今江苏南京市）驿馆。友人：应是指邓剡。作者《怀中甫》诗里注明“时中甫以病留金陵天庆观”。中甫，邓剡字。

②恨东风二句：《资治通鉴》卷六十五叙述赤壁之战中周瑜火攻曹操舰队的故事：“时东南风急，火烈风猛，船行如箭，烧尽北船，延及岸上营落。”后世认为这是天助周瑜成功。这里是感叹南宋抗元的军事得不到天助。不借：不助。英物：英雄杰出的人物。

③蜀鸟吴花残照里二句：写金陵的残破景象。蜀鸟：指鸣声凄怨的子规鸟，相传它是蜀国的望帝所化。

④铜雀春情二句：写亡国的悲痛。铜雀：台名，曹操所建，故址在今河北临漳县西南。杜牧《赤壁》诗："东风不与周郎便，铜雀春深锁二乔。"作者借用此典，暗指宋室投降后妃嫔都归于元宫事。金人：汉武帝时铸造的捧露盘的仙人。李贺《金铜仙人辞汉歌序》："魏明帝青龙元年八月，诏宫官牵车西取汉孝帝捧露盘仙人，欲立置前殿。宫官既拆盘，仙人临载，乃潸然泪下。"这里借指南宋文物宝器都被劫运一空。

⑤堂堂剑气二句：上句赞美宝剑的光芒上冲云霄；下句谓辜负了宝剑把自己作为英雄人物的期望。斗牛：北斗、牵牛二星。《晋书·张华传》载斗牛之间常有紫气，张华邀雷焕仰视，焕曰："宝剑之精，上彻于天耳。"

⑥那信江海馀生二句：指1276年间作者脱险南归事。他在镇江从元兵监视下逃出，历尽艰险，绕道海上，才得南归，而免于难。那信：想不到。

⑦属扁舟齐发：属：托付，这里是以生命托付扁舟的意思。《指南录》载，作者逃至通州（今江苏南通）出海，有四条船一齐出发。

⑧鸥盟：与海鸥结为盟友，借指抗元同志如邓剡等。留醉眼：承接前文的"馀生"所说。涛生云灭：比喻时局变化险恶。

⑨睨柱吞嬴：《史记·廉颇蔺相如列传》载蔺相如奉璧使秦，度秦王无意以城换璧，"因持璧却立倚柱，怒发上冲冠……睨柱，欲以击柱。秦王恐其破璧，乃辞谢"。此句是说蔺相如持璧睨柱的壮气压倒了秦王。

⑩走旗回懿：事见《三国志·诸葛亮传》裴松之注。裴注引《汉晋春秋》云诸葛亮死后，"杨仪等整军而出。百姓奔告宣王（司马懿）。宣王

追焉。姜维令仪反旗鸣鼓，若将向宣王者。宣王乃退，不敢逼。于是仪等结阵而去，入谷，然后发丧。宣王之退也，百姓为之谚曰：'死诸葛，走生仲达（司马懿字）。'"

【赏析】

此词是文天祥被元军俘获的次年（1279 年），元兵将其押往北方，经过金陵时所作。也有人怀疑此词为其友邓剡的作品。但细玩全词的语意和风格，以及过片"江海馀生"等语，确系反映了作者坎坷的生平及其思想。正如《历代诗馀 · 词话》引陈子龙赞云："气冲斗牛，无一毫委靡之色。"个中豪迈，于宋末词坛可推独步。

刘辰翁

刘辰翁(1232－1297年),字会孟,号须溪。吉州庐陵(今江西吉安)人。景定元年(1260年)补太学生。后举进士,因廷试忤权臣,置丙等。尝为濂溪书院山长,后被荐居史馆,又除太常博士,皆固辞。宋亡隐居不出。其诗文多揭露权奸祸国殃民,词作则兼豪放、婉约之致。著有《须溪集》、《须溪词》等。

西江月

新秋写兴

天上低昂似旧①,人间儿女成狂②。夜来处处试新妆③,却是人间天上④。

不觉新凉似水,相思两鬓如霜。梦从海底跨枯桑,阅尽银河风浪⑤。

【注释】

①天上低昂似旧:这是就七夕言,天上的景象和往日并没有什么不同。低昂:起伏,用来形容天色变化的景象。

②人间儿女成狂:指欢度七夕(乞巧节)。

③夜来处处试新妆:吴自牧《梦粱录》:“其日晚晡时,倾城儿童女子,不

论贫富，皆着新衣。”

④却是人间天上：是说人间的生活也和天上一样欢乐。

⑤梦从海底跨枯桑二句：上句用《神仙传》里沧海变桑田的典故，下句用牛郎织女七夕渡河相会的故事，都是借指世事的变迁和人生的风浪。阅：经历。

【赏析】

此词含味很深。上阕写七夕时人间的繁华热闹景象，却隐喻天上的冷清低昂；下阕一转，更生出无尽感慨，联系前文“似旧”、“相思”的语意来看，似是怀念故国之词。实际上，平头百姓的生活日用，是有自身的惯性的，国家的兴亡交替并不意味着他们生活的全部。但于作者而言，就并非作如是观了。

柳梢青

春感

铁马蒙毡[①]，银花洒泪[②]，春入愁城。笛里番腔，街头戏鼓，不是歌声[③]。

那堪独坐青灯！想故国、高台月明[④]。辇下风光[⑤]，山中岁月[⑥]，海上心情[⑦]。

【注释】

①铁马蒙毡：指元朝南侵的骑兵。蒙毡：冬天在战马身上披的一层保暖毡毛。

②银花：光色灿烂的花灯。

③不是歌声：唱的不成歌曲。

④想故国二句：用李煜《虞美人》词“故国不堪回首月明中”语意。

⑤辇下：京师。

⑥山中岁月：南宋亡国后，作者一直隐居山中。

⑦海上心情：临安沦陷，南宋的遗臣多从海上逃亡，在福建、广东一带参加抗元的活动。

【赏析】

作者作为亡国之臣，其作品“反反复复，字字悲咽”(张孟浩评《宝鼎现》语)，且“辞情悲苦”，念念皆是感怀时事，悼念故国。他在词里反复写元夕、端午、重阳，反复写伤春、送春，不是伤春悲秋的滥调，而是深切地表达了自己眷恋故土故国的哀愁。此词亦如是。其特征是运用中锋突进的手法来表现自己奔放的感情，不肯稍加含蓄使之隐晦，不肯假手雕琢使之失真，这样就格外具有感人的力量。

蒋　捷

蒋捷（约1245—1305后），字胜欲，自号竹山。阳羡（今江苏宜兴）人。宋度宗咸淳十年（1274年）进士。宋亡，遁迹不仕。生平“以词名一时”（沈雄《古今词话》引《松筠录》语），与周密、王沂孙、张炎并称“宋末四大家”。后世词论家对其词的评价分歧甚大：明毛晋、清朱彝尊、纪昀、刘熙载等都褒赞其词，刘熙载甚至推为“长短句之长城”（《艺概·词曲概》）；但清周济、陈廷焯、冯煦等则贬损之，陈廷焯《白雨斋词话》列其于南宋词人最末。著有《竹山词》一卷。

贺新郎

兵后寓吴[①]

深阁帘垂绣，记家人、软语灯边，笑涡红透[②]。万叠城头哀怨角[③]，吹落霜花满袖[④]。影厮伴东奔西走[⑤]。望断乡关知何处？羡寒鸦、到着黄昏后，一点点，归杨柳。

相看只有山如旧，叹浮云、本是无心，也成苍狗[⑥]。明日枯荷包冷饭，又过前头小阜。趁未发，且尝村酒。醉探枵囊毛锥在[⑦]，问邻翁要写《牛经》否[⑧]？翁不应，但摇手。

【注释】

①兵后寓吴：1276年元兵占领南宋的京城临安。此后作者便在东南一带漂泊。此词是其流寓苏州时所作。

②深阁帘垂绣四句：写过去家人团聚的欢乐生活。帘垂绣，即绣帘垂。

③万叠城头哀怨角：写战争的悲惨，暗示南宋的覆亡。万叠：把同一曲调反复不断地吹奏。

④霜花满袖：写羁旅，挨着寒冷在四方飘泊。

⑤影厮伴：谓只有影儿相伴。

⑥叹浮云三句：感叹亡国后时事也发生了根本的变化。杜甫《可叹》诗："天上浮云如白衣，斯须改变如苍狗。"

⑦枵囊：空囊，谓口袋里没有钱。毛锥：毛笔。

⑧写《牛经》：代人抄写《牛经》，谓想混一点生活的意思。《牛经》，有关牛的知识的书。《三国志·魏志·夏侯玄传》裴松之注引《相印书》言汉朝有《牛经》。《唐书·艺文志》载有宁戚《牛经》一卷。

【赏析】

作者在南宋亡国之后，一直隐居不仕。此词作为作者的自叙，将其因战火燃起而发生的生活上的巨变历历写来，同时也反映了一班不肯变节的文人在当时的艰难处境，可谓是一曲流浪者的哀歌，感人至深。

贺新郎

乡士以狂得罪[1]，赋此饯行。

甚矣君狂矣！想胸中些儿垒魂[2]，酒浇

不去。据我看来何所似，一似韩家五鬼[3]，又一似杨家风子[4]。怪鸟啾啾鸣未了，被天公、捉在樊笼里[5]。这一错，铁难铸[6]。

濯溪雨涨荆溪水[7]，送君归、斩蛟桥外[8]，水光清处。世上恨无楼百尺，装着许多俊气[9]。做弄得栖栖如此[10]。临别赠言朋友事，有殷勤六字君听取：节饮食，慎言语。

【注释】

①乡士：和作者同乡的书生。

②垒魂：即垒块，胸中不平。刘义庆《世说新语·任诞》："阮籍胸中垒块，故须酒浇之。"

③韩家五鬼：韩愈《送穷文》称"智穷"、"学穷"、"文穷"、"命穷"、"交穷"为"五鬼"。

④杨家风子：《旧五代史·杨凝式传》载杨凝式"善于笔札，洛州寺观蓝墙粉壁之上题记殆遍。时人以其纵诞，有风子之号焉"。注引《五代史补》说朱全忠篡夺唐朝的皇位时，"恐唐大臣不利于己，往往阴使

人来探访群议。缙绅之士及祸甚众”。杨凝式曾劝阻其父杨涉交出唐朝皇帝的印绶,“恐事泄,即日遂佯狂,时人谓之杨风子”。风子:即疯子。

⑤樊笼:关鸟兽的笼子,以喻受到迫害,丧失自由。

⑥这一错二句:《资治通鉴》卷二六五载唐罗绍威联合朱全忠击溃魏承嗣的军队之后,供应朱部所需,把蓄积都花光了。罗绍威悔曰:“合六州四十三郡铁,不能为此错也。”苏轼《赠钱道人》诗:“不知几州铁,铸此一大错。”

⑦荆溪:在江苏宜兴县南,以近荆南山得名,流入太湖。濯溪:荆溪的支流,方位不详。

⑧斩蛟桥:《世说新语·自新》载周处“入水击蛟,蛟或浮或没,行数十里,处与之俱,经三日三夜……竟杀蛟而出”。桥:指宜兴城南的长桥,宋时改名为荆溪桥,即相传周处斩杀蛟的地方。

⑨俊气:俊秀之气,指才人贤士。

⑩栖栖:不安定貌。《论语·宪问》:“丘何为是栖栖者欤?”

【赏析】

此词的写作题材很特别。冯煦在《蒿庵词话》中指斥云:“词旨鄙俚,匪惟李(煜)、晏(殊)、周(邦彦)、姜(夔)所不屑焉,即属稼轩(辛弃疾),亦下乘也。”但无论从其题材内容的多样化,语言风格的创获,格律形式的自由,皆足以表明这是一首好词,将一个有才气而与时俗乖违的人物活生生地描来。最末“节饮食,慎言语”六字不同于一般的应酬赠语,含有难以宣泄的愤懑与感慨,颇堪玩味。

文徵明

文徵明(1470—1559年),初名文璧(或作壁),字徵明,以字行,改字徵仲,号衡山居士。长洲(今江苏苏州)人。明正德末年以荐授翰林待诏。世宗立,预修《武宗实录》。以书画名世,兼擅诗文,亦能词。与祝允明、唐寅、徐祯卿被称为“吴中四杰”或“吴中四才子”;与沈周、唐寅、仇英是画史有名的“吴门四大家”。著有《甫田集》,今人编有《文徵明集》。

满江红

题宋思陵与岳武穆手敕墨本[1]

拂拭残碑,敕飞字依稀堪读[2]。慨当初、倚飞何重,后来何酷?果是功成身合死[3]?可怜事去言难赎。最无辜、堪恨更堪悲,风波狱[4]。

岂不念,中原蹙[5]?岂不惜,徽钦辱[6]?

念徽钦既返，此身何属[7]？千载休谈南渡错[8]，当年自怕中原复，笑区区、一桧亦何能[9]？逢其欲[10]。

【注释】

①宋思陵：指宋高宗赵构。思陵：赵构墓，称永思陵，简称思陵。在浙江绍兴县。岳武穆：岳飞。宋孝宗时谥武穆，宁宗时追封为鄂王。手敕：皇帝亲自写的诏书。墨本：徐轨《词苑丛谈》："夏侯桥沈润卿掘地得宋高宗赐岳侯手敕刻石。"

②敕飞字：文徵明《题宋高宗敕岳忠武书》："后仅署日月，而不纪年。按此当在忠武讨兀术获胜时所降下者，故文内犹寓嘉励之意。嗟乎！倘高宗始终不为桧贼所惑，三字之狱不成，将见妖氛荡扫，何难奏凯于旦夕哉！"

③果是句：《史记·淮阴侯列传》："上令武士缚信（韩信），载后车。信曰：'果若人言：狡兔死，良狗亨（烹）；高鸟尽，良弓藏；敌国破，谋臣亡。天下已定，我固当亨！'"

④风波狱：宋大理寺狱风波亭，相传为岳飞遇害处。故址在旧按察使司狱署之右，即今杭州小车桥附近。

⑤蹙：收缩，指国土减少。

⑥徽钦：即宋徽宗赵佶，宋钦宗赵桓。为宋高宗的父兄。靖康二年（1127年），徽、钦二帝为南侵的金兵所掳，北宋灭亡。

⑦念徽钦既返二句：指宋高宗因为担心徽、钦二帝被放归后，自己的皇位不稳，所以对于北伐的事始终犹豫不决。

⑧南渡：北宋灭亡后，宋高宗退走江南，先在南京（今河南商丘）即位，害怕金兵进逼，走避东南，两河地区沦陷后，定都临安（今浙江杭州）。

⑨一桧：指秦桧，高宗朝权相，杀害岳飞的主谋。

⑩逢其欲：迎合皇帝的欲望。

【赏析】

后世史家对于岳飞之死大多全部归罪于秦桧，甚至演义秦桧为金朝派回宋廷的奸细，当是过实之论。综合当时情况，可以认为，宋高宗从即位之时起，便倾向于主和，间有主战之举，亦只是为求得政治地位上的立足与平衡。其在位初期，军事力量尚不足以与金军抗衡，主和还属确当；其后期，敌我双方的差距已不大，完全有可能扭转局势，惜乎其不为。之所以如此，原因或许有二：一是如作者在本词中所提到的，高宗担心徽、钦二帝被遣送回朝而自己皇位不保，于是甘与金朝达成默契。二是担心将帅拥重兵在外，而起祸端，因此高宗无论对于岳飞，还是另一员大将韩世忠，都倍加戒心，最后都褫夺了他们的兵权，转任为虚职的文官。而秦桧，正是窥视到高宗的这种心思，一力主和不主战，而成为朝廷权相，且为解除心腹之患，以“莫须有”的罪名将岳飞处死，是乃政治斗争的牺牲品，而非“民族矛盾”所致也。

杨　慎

杨慎(1488－1559年),字用修,号升庵。新都(今属四川)人。正德六年(1511年)廷试第一,授翰林修撰。武宗微行出居庸关,抗疏极谏。世宗立,为经筵讲官。因议"大礼"事获罪,削职遣戍云南三十余年,死于戍所。学识广博,著述繁多。其诗含吐六朝,于明代独立门户。著有《升庵全集》、《外集》、《遗集》等,另有笔记杂著《丹铅总录》、《续录》等。所著《词品》在词史上颇具价值。

临江仙

《廿一史弹词》第三段说秦汉开场词①

滚滚长江东逝水②,浪花淘尽英雄③。是非成败转头空④。青山依旧在,几度夕阳红⑤。

白发渔樵江渚上⑥,惯看秋月春风⑦。一壶浊酒喜相逢⑧,古今多少事,都付笑谈中。

【注释】

①《廿一史弹词》:杨慎作的长篇弹词,以正史记载的故事为依据,语言浅切。

②滚滚句:杜甫《登高》:"无边落木萧萧下,不尽长江滚滚来。"

③浪花句：苏轼《念奴娇》："大江东去，浪淘尽、千古风流人物。"
④是非句：苏轼《西江月》："休言万事转头空。"此处反用其意。
⑤几度句：喻人生美好却短暂。苏轼《八声甘州》："西兴浦口，几度斜晖，不用思量今古，俯仰昔人非。"
⑥渔樵：渔夫和樵夫，泛指农人，亦指隐士。此处为作者自喻。江渚：江中小岛。
⑦惯看句：白居易《琵琶行》："秋月春风等闲度。"
⑧浊酒：用糯米、黄米等酿制的酒，较浑，故名。

【赏析】

此词由于后来被清初毛宗岗父子借用作《三国演义》卷首语，故流传较广。词中多集用前人诗词成句，通俗明晓，极易上口。但细绎词意，似为作者被谪戍西南边陲时所作，全词举重若轻，可谓勘破古今世事，胸次豪拓。

吴伟业

吴伟业(1609－1672年),字骏公,号梅村、鹿樵生。江南太仓(今属浙江)人。明崇祯四年(1631年)进士,授翰林院编修,历官左庶子。南明弘光王朝任少詹事。清顺治十一年(1654年)被迫出仕,官至国子监祭酒。能诗词杂剧散文,尤工诗,与钱谦益、龚鼎孳合称“江左三大家”。词名虽为诗名所掩,仍不失为“本朝词家之领袖”(张德瀛《词徵》)。有《梅村词》二卷。

满江红

读史

顾盼雄姿,数马矟、当今谁比①。论富贵、刀头取办,只应如此②。十载诗书何所用,如吾老死沟中耳③。愿君侯、誓志扫秦关④,如江东。

烽火静,淮淝垒⑤。甲第起,长安里⑥。尚轻它绛灌⑦,何知程李⑧。挥麈休谭边塞事⑨,封侯拂袖归田里。待公卿、置酒上东门,功成矣。

【注释】

①顾盼雄姿三句:形容新贵扬扬得意貌。顾盼:目光流转的样子。马

矟(shuò):矛的一种。“矟”同“槊”。《释名·释兵》:“矛长丈八尺曰矟,马上所持,言其矟,矟便杀也。”

②论富贵三句:谓新贵以战斗中杀人换来富贵。

③老死沟中:老死于无用之地。

④秦关:秦地边塞。泛指北方失地。

⑤淮淝垒:淮水淝水边的军营。淮水淝水在中原,指中原已经被清军所占领。

⑥甲第:豪门贵族的宅第。长安:借指明都北京。

⑦绛灌:汉绛侯周勃与颍阴侯灌婴。两人辅佐汉高祖刘邦,累立战功,为一时名将。《史记·淮阴侯列传》:“(韩)信由此日夜怨望,居常鞅鞅,羞与绛、灌等列。”

⑧程李:汉代边郡名将程不识与李广的并称。《史记·魏其武安侯列传》:“灌夫曰:‘斩头陷匈,何知程李乎!’坐乃起更衣,稍稍去。”

⑨挥麈:《世说新语·容止》:“王夷甫容貌整丽,妙于谈玄。恒捉玉柄麈尾,与手都无分别。”玉麈:玉柄的拂尘,魏晋文人清谈时常执,用麈的尾毛制成。麈:驼鹿。

【赏析】

度此词意,当为作者流亡东南时所作。词中既有对那些以杀战博取富贵的人的复杂评判,也有对自己等一班文人的自许。只是后者更多的不过存乎玄想而已。作者一生坎坷,其临殁遗言曰:“吾一生遭际,万事忧危,无一刻不历艰险,无一境不尝艰辛,实为天下大苦人。吾死后,殓以僧装,葬吾于邓尉灵岩之侧,墓前立一圆石,题曰‘诗人吴梅村之墓’,勿起祠堂,勿乞铭。”陈廷焯《白雨斋词话》云:“吴梅村词,虽非专长,然其高处,有令人不可捉摸者,此亦身世之感使然。”

陈维崧

陈维崧(1625—1682年),字其年,号迦陵,江南宜兴(今属江苏)人。明末"四公子"之一陈贞慧之子。诸生。少负才名。康熙十八年(1679年)举博学鸿词,授检讨,与修《明史》。骈文、诗、词并工,尤以词名扬天下。一生所作,有1629首,古今词家所未见。为阳羡派的开山,与浙派领袖朱彝尊并称。以杜诗和元白乐府精神为词,关心民生,并大量反映明末清初国事,后人称为"词史"。著有《湖海楼全集》五十四卷,其中词三十卷。又与朱彝尊合刊有《朱陈村词》。

南乡子

邢州道上作①

秋色冷并刀②,一派酸风卷怒涛③。并马三河年少客④,粗豪,皂栎林中醉射雕⑤。

残酒忆荆高⑥,燕赵悲歌事未消⑦。忆昨车声寒易水⑧,今朝,慷慨还过豫让桥⑨。

【注释】

①邢州:古州名,治所在今河北邢台县。

②并刀:并州生产的剪刀,颇有名气,此喻秋风。并州在今山西北半部

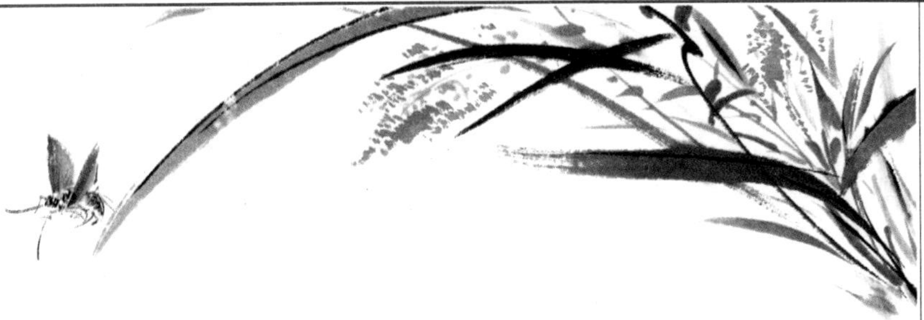

一带。杜甫《戏题王宰画山水图歌》:“焉得并州快剪刀,剪取吴淞半江水。”

③酸风:侵入肌肤的冷风。李贺《金铜仙人辞汉歌》:“东关酸风射眸子。”

④三河:指河东、河内、河南三郡,在今河南北部、山西南部一带,是畿辅之地。年少客:年轻人。《史记·货殖列传》载:三河“地边胡,数被寇,人民矜忮,好气任侠,为奸不事农商……自全晋之时固以患其剽悍。”

⑤皂栎林:青丘(在今山东益都县)一带的山林。春秋时齐景公打猎于此。皂栎:落叶乔木。射雕:《北齐书·斛律光传》:“(光)曾从文襄校猎云中,见一大鸟,射之正中其头,形如车轮,旋转而下,乃雕也。邢子高叹曰:‘此射雕手也。’”

⑥荆高:荆轲和高渐离。荆轲,战国时卫国人,好读书击剑,后事燕太子丹,拜为上卿,奉命入秦刺杀秦王政,未遂,被杀。高渐离,战国时燕国人,擅长击筑,与荆轲为至交,荆轲赴秦刺秦王,他到易水送别。秦灭燕后,秦始皇熏瞎他双目,令为击筑。他藏铅于筑内,击秦始皇,未中被杀。

⑦燕赵悲歌句:指荆轲、高渐离刺杀秦王事一直留在人们记忆中,未能忘情。燕赵:战国时两国名,故址均在今河北省。韩愈《送董邵南序》:“燕赵古称多感慨悲歌之士。”

⑧车声寒易水:《史记·刺客列传》载:荆轲将赴秦,太子丹及众宾客皆着白衣冠送至易水之上,高渐离击筑,荆轲和而歌曰:“风萧萧兮易水寒,壮士一去兮不复返!”歌毕乘车而去。

⑨豫让桥:在今河北邢台县北。据《史记·刺客列传》载,豫让是春秋时智伯的家臣。智伯为赵襄子所灭,国家三分为韩、魏、赵。豫让漆油漆于身上,吞木炭于喉中,准备替智伯报仇。第一次刺赵襄子未中,赵襄子义而释之。其后又伏桥下谋刺,被执后伏剑自刎。此句是说经过豫让桥,当年慷慨悲歌的一幕浮在眼前。

【赏析】

此词之作,慷慨激昂,多用剽悍事典,表其粗豪之心境。文人词有至于斯者,亦不多见。陈廷焯《白雨斋词话》云:“波澜壮阔,气象万千,是何神勇!”

夜游宫

秋怀

秋气横排万马[①],尽屯在长城墙下[②],每到三更素商泻[③]。湿龙楼[④],晕鸳机[⑤],迷爵瓦[⑥]。

谁复怜卿者[⑦]?酒醒后槌床悲诧[⑧]。使气筵前舞甘蔗[⑨]。我思兮,古之人，桓子野[10]。

【注释】

①秋气句：谓秋天凛冽肃杀之气如同并排奔驰的千军万马。

②屯：驻扎。高适《酬司空少府》："秋气屯高原。"

③素商：秋之别称。《礼记·月令》："秋之时，其色尚白，其音商。"古人以为秋色尚白，并以五音（宫商角徵羽）中的商音属秋，故称秋为"素商"。此处代指霜。

④龙楼：汉代太子宫门名，此泛指宫门。

⑤晕：光亮模糊。鸳机：织布机。

⑥迷：分辨不清。爵瓦：即鸳瓦，鸳鸯瓦，俯仰成对铺设的瓦片。

⑦卿：作者自称。

⑧槌床：愤极而拍打床铺。槌：通"捶"。

⑨使气：逞着意气。舞甘蔗：曹丕《典论自叙》："余尝与奋威将军邓展饮，展晓五兵，又能空手入白刃，因求与余对。时酒酣耳热，方食芋蔗，便以为杖。下殿数交，三中其臂，左右大笑。"此形容神态豪纵。

⑩桓子野：名伊，晋人，善吹笛。《世说新语·任诞篇》："桓子野每闻清歌，辄唤奈何。谢公曰：'子野可谓一往有深情。'"

【赏析】

古人多悲秋之作，而作者此词，将秋之肃杀气象比为奔驰之千军万马，可谓别裁新意。虽难免自伤身世，却仍以豪纵之情继之。陈廷焯《白雨斋词话》以为"迦陵词沉雄俊爽，论其气魄，古今无敌手"。

侧犯

奚苏岭先生书来讯我近况，词以奉柬[①]。

罢官不乐，画帘暮卷空江雨[②]。无绪。忆罨画溪头有人住[③]。阶前灌莽合，屋后虬梅古。传语。问强饭[④]，还能著书否？

使君足下[⑤]，别后难行路。嗟带甲[⑥]，满乾坤，只有儒生误[⑦]。昨已废书，行将学贾[⑧]。市上屠牛[⑨]，山中射虎[⑩]。

【注释】

①奚苏岭：事迹不详，待考。奉柬：写回信。柬：通“简”，字帖，信札，名刺。

②画帘句：王勃《滕王阁序》：“珠帘暮卷西山雨。”此句化用之。

③罨画溪头：《太平寰宇记》：“圻溪，今俗呼为罨画溪，在宜兴县南十八里，源出悬脚岭，东流入太湖。”作者家乡在江苏宜兴南。

④强饭：努力加餐，勉强进食。《汉书·孝武卫皇后传》载，汉武帝时平阳主送卫子夫入宫。子夫上车，主拊其背曰：“行矣！强饭！勉之，即贵，愿无相忘。”此问奚苏岭起居饮食如何。

⑤使君：汉时称刺史为使君，以后用作对州郡长官的尊称。

⑥带甲：披甲，指战争兴起。

⑦儒生：原指信奉孔子学说的人。后成为读书人的通称，此指作者自己。

⑧学贾：学做商人。

⑨市上屠牛：谓在市井上以宰牛为业，是表示对“儒生误”的一种愤慨。

⑩山中射虎：用李广善射的故事。《史记·李将军传》：“广出猎，见草中石，以为虎而射之，中石没镞，视之，石也。因复更射之，终不能复入石矣。广所居郡闻有虎，尝自射之。及居右北平，射虎，虎腾伤广，广亦竟射杀之。”

【赏析】

此词为作者自叙罢官居于乡里后的生活。自己的生计还不至于无着，但这百般惆怅郁塞却难以挥去，不仅是因为闲居无绪，更是由于战后创痍，士学无用，儒生的地位尚不如市井贩卒，唯有“废书”以“学贾”。作者虽作如是愤语，但从末句“山中射虎”句犹可见其雄心不死，将以有为也。

朱彝尊

朱彝尊(1629－1709年),字锡鬯,号竹垞,又号金风亭长、小长芦钓鱼师。浙江秀水(今嘉兴)人。早年曾与唯耕辈共图复明,几祸及。康熙十八年(1679年)以布衣荐举博学鸿词,授翰林院检讨,充《明史》纂修、日讲起居注,出典江南乡试。二年后被劾罢归,殚心著述。为浙派诗词首领。诗与王士祯齐名,词与陈维崧并驾。况周颐推为清代词人之冠。编有《词综》、《明诗综》,著有《曝书亭集》、《腾笑集》、《日下旧闻》等。

解佩令[①]

自题词集

十年磨剑[②],五陵结客[③],把平生、涕泪都飘尽。老去填词,一半是、空中传恨[④]。几曾围、燕钗蝉鬓[⑤]?

不师秦七[⑥],不师黄九[⑦],倚新声、玉田差近[⑧]。落拓江湖[⑨],且分付、歌筵红粉[⑩]。料封侯、白头无分！

【注释】

①此调又名《解冤结》，见宋晏几道《小山乐府》。

②十年磨剑：贾岛《剑客》："十年磨一剑，霜刃未曾试。今日把示君，谁有不平事。"

③五陵结客：五陵多豪侠少年。曹植《结客篇》："结客少年场，报怨洛北芒。"五陵，西汉皇帝的陵墓，在咸阳东，有长陵、安陵、阳陵、茂陵、平陵。

④空中传恨：指借作词消去胸中怨气。惠洪《冷斋夜话》："法云师尝谓鲁直(黄庭坚)曰：'诗多作无害，艳歌小词可罢之。'鲁直曰：'空中语耳，非杀非偷，终不坐此堕落道。'"

⑤燕钗蝉鬓：指美丽少女。

⑥秦七：即北宋著名词人秦观，因排行第七，故名。

⑦黄九：即北宋著名诗人、词人黄庭坚，其排行第九。作者论词宗南宋，不师法北宋，故有此二句。

⑧玉田：即宋末元初著名词人张炎，号玉田。作者与张炎同为遗民，皆经历国破家亡的创痛，所谓"差近"主要指身世，词风相近当在其次。

⑨落拓江湖：杜牧《遣怀》："落魄江湖载酒行，楚腰纤细掌中轻。"

⑩歌筵红粉：谓听佳人唱歌佐酒，借以消忧。

【赏析】

作者早年也曾意气风发，快意恩仇，至今犹可想见。老来填词时，其气虽颓，尚不稍逊。言其词风师法，不落窠臼。陈廷焯《白雨斋词话》云其"微少沉厚之气"，甚是。

百字令

自题画像

菰芦深处[1]，叹斯人枯槁、岂非穷士[2]。剩有虚名身后策，小技文章而已[3]。四十无闻，一丘欲卧[4]，漂泊今如此。田园何在，白头乱发垂耳[5]。

空自南走羊城，西穷雁塞，更东浮淄水[6]。一刺怀中磨灭尽[7]，回首风尘燕市[8]。草屐捞虾[9]，短衣射虎[10]，足了平生事。滔滔天下，不知知己谁是。

【注释】

①菰芦：茭白和芦苇，生于水边湿地，喻地位低卑。《建康实录》："殷礼与张温使蜀，诸葛亮见而叹曰：'江东菰芦中，生此奇才！'"

②斯人：作者自指。枯槁：干枯瘦弱。岂非穷士：《吴越春秋》载，伍子胥渡江，乞食于渔人，渔人为取食，伍子胥疑，潜身苇中。渔人来不见，因歌呼曰："芦中人，芦中人，岂非穷士乎？"

③小技文章：杜甫《贻华阳柳少府》："文章一小技，于道未为尊。"

④一丘欲卧：指归耕。《汉书·叙传》："栖迟于一丘，则天下不易其乐。"

⑤白头句：杜甫《乾元中寓居同谷县作歌》："有客有客字子美，白头乱发垂过耳。"

⑥空自三句：言作者游历各地的经历。羊城：即五羊城，指广州。作者

曾于顺治十三年(1656年)至顺治十五年(1658年)游岭南。西穷雁塞,指山西之行。东浮淄水,指游山东。

⑦刺:名片。《后汉书·祢衡传》:"建安初,(衡)来游许下。始达颍川,乃阴怀一刺,既而无所之适,至于刺字漫灭。"

⑧燕市:指京城。

⑨屐:草鞋。鰕:同虾。

⑩短衣射虎:用李广善射的典故。

【赏析】

此词作于康熙十年(1671年)。小序中所谓的画像是钱塘戴苍所绘。时年作者已四十二岁,也曾游历各地、数度入京,却拜谒无门,仍是一介布衣。词中借题画像,抒发了自己怀才不遇的失意和无奈。

郑 燮

郑燮(1693—1765年),字克柔,一字近人,号理庵,又号板桥,别署郑大、风子、樗散人、爽鸠氏、所南翁、老画师、徐青藤门下牛马走等。兴化(今属江苏)人。乾隆元年(1736年)进士,任山东范县令,改潍县令,以请赈忤大吏而落职。南还后,鬻书画为生。诗词书画皆精,画以写兰竹著称,书号"六分半体",均有重名,为"扬州八怪"之一。著有《板桥集》,含《词钞》一卷,自删极严,仅存77首。

贺新郎

徐青藤草书一卷[①]

墨沛馀香剩[②]。扫长笺、狂花扑水[③],破云堆岭。云尽花空无一物,荡荡银河泻影。又略点、箕张鬼井[④]。未敢披图容易玩[⑤],拨烟霞直上嵩华顶[⑥]。与帝座,呼相近[⑦]。

半生未挂朝衫领。恨秋风、青衿剥去[⑧],秃头光颈。只有文章书画笔,无古无今独逞。并无复自家门径。拔取金刀眉目割[⑨],破头颅、血迸苔花冷[⑩]。亦不是,人间病。

【注释】

①徐青藤：即明代徐渭(1521—1593年)，字文清，更字文长，号青藤。山阴(今浙江绍兴)人。为人佯狂放浪，寄情于诗文书画。

②墨渖：墨汁，也谓墨迹。

③扫：谓挥洒下笔。长笺：长的诗笺，此即指草书笺。狂花：不依时序而开之花，比喻书或画的风格。苏轼《子由新修汝州龙兴寺吴画壁》："始知真放本精微，不比狂花生客慧。"

④箕张鬼井：四个星宿名。箕：箕星，有四星。张：朱雀七宿的第五宿，有六星。鬼：有四星。井：朱雀七宿的第一宿，有八星。词中泛指星星，喻指书法中的"点"。

⑤披：展开。容易：草率，轻易。

⑥嵩华：嵩山和华山。

⑦帝座：天帝的座位。词中极喻其高。呼：呼吸。

⑧恨：怨恨。青衿：明清时秀才的常服。

⑨金刀：金错刀，一种刀，也指书画的一种笔体。《宣和画谱·李煜》："书作颤笔樛曲之状，遒劲如寒松霜竹，谓之金错刀。"

⑩苔花：苔衣。此似指苔纸，以水苔制成的纸，代指笺纸。

【赏析】

作者生性豪直，为文作画皆不媚于俗，从此词即可见一斑。全词想象丰富，夸张贴顺。陈廷焯《词则·放歌集》卷六评此词云："板桥词最为直截痛快，魄力自不可及。若再加以浩瀚之气，便可亚于迦陵。"但仅以此词文笔而论，便足可当"真词坛霹雳手也"(《白雨斋词话》)之名了。

黄景仁

黄景仁(1749—1783年),字汉镛,一字仲则,号鹿菲子。江苏武进人。早年为衣食奔走四方。乾隆四十一年(1776年),应东巡召试,列二等,例得主簿。陕西巡抚毕沅奇其才,助其纳赀为县丞。未补官而卒。有诗名。与洪亮吉、孙星衍等七人称为“毗陵七子”。词名则毁誉参半。著有《两当轩集》、《竹眠词》等。

金缕曲

观剧,时演《林冲夜奔》[①]

姑妄言之矣[②]。又何论、衣冠优孟[③],子虚亡是[④]。雪夜窜身荆棘里,谁问头颅豹子[⑤]!也曾望、封侯万里。不到伤心无泪洒[⑥],洒平皋、那肯因妻子[⑦]?惹我发,冲冠起[8]。

飞扬跋扈何能尔？只年时、逢场心性[9]，几番不似。多少缠绵儿女恨，廿载以前如此。今有恨、英雄而已。话到从头恩怨处，待相持[10]、一恸缘伊死。堪笑否？戏之尔！

【注释】

①《林冲夜奔》：明传奇《宝剑记》中之一出，是《水浒》戏中林冲被逼上梁山一段。此处所演当为昆剧。

②姑妄言之：随便说说，不一定是真的。姑：且。妄：随便。《庄子·齐物论》：“予尝为女（汝）妄言之，女亦以妄听之奚？”

③衣冠优孟：《史记·滑稽列传》载，楚相孙叔敖死后，其子贫困鬻粥，楚扮演杂戏者优孟穿戴孙叔敖的衣冠，并模仿其神态，讽谏楚王。后指演戏。

④子虚亡是：指虚构的人或事。汉司马相如《子虚赋》：“楚使子虚使于齐……子虚过诧乌有先生，亡是公存焉。”

⑤头颅豹子：在《水浒》里，林冲绰号豹子头。

⑥不到句：《林冲夜奔》戏里唱词云：“男儿有泪不轻弹，只因未到伤心处。”

⑦平皋：水边平展之地。那，通“哪”。

⑧惹我发二句：用“怒发冲冠”典，见《史记·廉颇蔺相如列传》。亦可参见岳飞《满江红》（怒发冲冠）注。

⑨年时：当年，往年。逢场心性：逢场作戏之心。

⑩相持：相互扶持或抱持。

【赏析】

此词系作者观《林冲夜奔》剧而作。剧中林冲本为八十万禁军教头，居要职而冀望报效朝廷，意气风发，耿耿忠心，却因妻子被宰相高俅子觊觎而反遭陷害充军，本想苦熬出头，复受追杀，又闻妻子自尽已亡，人生两空，终于冲冠一怒，杀虞候，烧草场，雪夜奔梁山。是为此词之大背景。但细究之，林冲之悲剧，更在于其懦弱无争，溺于儿女情长。虽说“无情未必真豪杰”，但这真豪杰的代价于林冲而言，未免过大了。当然，人生如戏也好，戏如人生也罢，历历长河之中，“一笑泯恩仇”最是快意。

龚自珍

龚自珍（1792－1841年），字璱人，号定盦，一名易简，字伯定，更名巩祚，号羽岑山人。浙江仁和（今杭州）人。少从外祖段玉裁治《说文》，后从刘逢禄治公羊学。清嘉庆二十三年（1818年）举人，官内阁中书。道光九年（1829年）成进士，后充礼部主事。与魏源齐名，世称"龚魏"。其学术文章讲求经世致用，政治上要求改革，对近代思想界有启蒙作用。其诗别创面目，对晚清"诗界革命"诸家和南社作者有较大影响。今人辑有《龚自珍全集》。

台城路

赋秣陵卧钟，在城北鸡笼山之麓，其重万钧，不知何代物也[①]。

山陬法物千年在，牧儿扣之声死[②]。谁

信当年，槌槌一发，吼彻山河大地？幽光灵气，肯伺候梳妆，景阳宫里[3]？怕阅兴亡，何如移向草间置？

漫漫评尽古今。便汉家长乐[4]，难寄身世。也称人间，帝王宫殿，也称斜阳萧寺[5]。鲸鱼逝矣[6]！竟一卧东南，万牛难起[7]。哭煞铜仙，泪痕辞灞水[8]。

【注释】

①秣陵：南京的古称。鸡笼山：即鸡鸣山，在南京城北，有鸡鸣寺。钧：古时三十斤为一钧。

②陬（zōu）：角落。牧儿：牧人。声死：声音哑然（或微弱）。

③肯伺候二句：肯，岂肯。《南齐书·武穆裴皇后传》载："上数游幸诸苑囿，载宫人从后车。宫内深隐，不闻端门鼓漏声，置钟于景阳楼上，宫人闻钟声，早起装饰。"

④长乐：长乐宫，汉增饰秦之兴乐宫而改名。

⑤萧寺：佛寺。唐代李肇《国史补》："梁武帝造寺，令萧子云飞白大书'萧寺'。"

⑥鲸鱼：撞钟的杵，刻作鲸鱼形。《后汉书·班彪传》李贤注引薛综《西京赋》注云："海中有大鱼名鲸，又有兽名蒲牢。蒲牢素畏鲸鱼，鲸鱼击，蒲牢则大鸣呼。凡钟欲令其声大者，故作蒲牢于其上，撞钟者名为鲸鱼。"

⑦万牛难起：意谓钟重，万头牛也拉不起。

⑧哭煞二句：李贺《金铜仙人辞汉歌》序谓，魏明帝时，遣宫官从长安取汉武帝时所铸金人承露盘到洛阳宫殿，拆盘时，仙人潸然泪下。铜

仙，铜铸的仙人。灞水：在陕西，渭河支流，流经西安，此处代指长安。

【赏析】

作者因之生发感慨的卧钟，现在南京鼓楼东北大钟亭内。上有铭文云："洪武二十一年九月吉日铸。"可见作者并不是真的"不知何代物也"，只是以此寄托古今之慨。谭献《复堂日记》称许作者之词"绵丽飞扬，意欲合周、辛而一之，奇作也"，又谓："定公能为飞仙剑客之语，填词家长爪梵志也。"

谭嗣同

谭嗣同（1865－1898年），字复生，号壮飞。湖南浏阳人。早年屡试不第，游学各地。甲午战争后，在浏阳办《湘报》，提倡新学，宣传变法思想。光绪二十四年入京，授四品衔军机章京，参与康、梁变法，被捕遇害。为“戊戌六君子”之一。梁启超称其“志节学行思想为我国二十世纪开幕第一人”。能文，工诗，存词不多，风格雄健。有《谭嗣同全集》。

望海潮

自题小照

曾经沧海[1]，又来沙漠[2]，四千里外关河。骨相空谈[3]，肠轮自转[4]，回头十八年过。春梦醒来么[5]？对春帆细雨，独自吟哦。唯有瓶花，数枝相伴不须多。

寒江才脱渔蓑[6]。剩风尘面貌，自看如何？鉴不因人[7]，形还问影[8]，岂缘醉后颜

酡[9]。拔剑欲高歌。有几根侠骨，禁得揉搓？忽说此人是我，睁眼细瞧科[10]。

【注释】

①曾经沧海：唐元稹《离思》："曾经沧海难为水，除却巫山不是云。"

②又来沙漠："又"字与上句"曾"字对言。作者在十三岁前后随父在西北住过，十五岁回湖南浏阳从师读书，十八岁作此词时再返回兰州一带。

③骨相：人的骨骼、体貌，古时相术以此测人的命运。

④肠轮句：比喻忧愁不展。古乐府《古歌》："心思不能言，肠中车轮转。"

⑤春梦：比喻无常的世事或短暂的荣华。赵令畤《侯鲭录》载苏轼贬官昌化，遇到一老妇，谓轼曰："内翰昔日富贵，一场春梦。"

⑥唐柳宗元《江雪》："孤舟蓑笠翁，独钓寒江雪。"此化用其意。

⑦鉴：镜子。

⑧形还问影：陶潜有《形赠影》《影答形》等诗。《庄子·齐物论》："罔两问景（影）。"

⑨颜酡：饮酒面红。《楚辞·招魂》："美人既醉，朱颜酡些。"

⑩科：词中犹言"作……状"。

【赏析】

此词作于光绪八年（1882年），时作者随父继洵在甘肃巩秦阶道任所。全篇藉题小影而抒发壮志消磨、事业难成的感慨，表现了作者从青少年时期就怀抱的雄心豪情，以及壮志难酬的抑塞之感，慷慨激昂，颇见风骨。其《石蜀影庐笔记》之五十云："性不喜词，以其靡也。忆十八岁作《望海潮》词自题小照，尚觉微有骨气。"是作者唯一一首词作。

梁启超

梁启超(1873－1929年),字卓如,号任公,别号饮冰室主人。广东新会人。光绪十五年(1889)举人。曾任上海《时务报》总编。与其师康有为同为戊戌变法首脑,合称“康梁”。戊戌政变后,逃亡日本,办《清议报》《新民丛报》。辛亥革命后,曾任北洋政府司法总长、财务总长等。晚年讲学清华研究院。学问广博,著述繁多,光绪年间首举诗界革命旗帜,提出“以旧风格含新意境”。其词见《饮冰室合集》第十六册,共六十六首。

水调歌头

拍碎双玉斗①，慷慨一何多②。满腔都是血泪，无处着悲歌。三百年来王气③，满目山河依旧，人事竟如何④？百户尚牛酒⑤，四塞已干戈⑥。

千金剑⑦，万言策⑧，两蹉跎。醉中呵壁自语，醒后一滂沱⑨。不恨年华去也，只恐少年心事，强半为消磨。愿替众生病，稽首礼维摩⑩。

【注释】

①玉斗：玉制酒器。

②一何：多么。

③三百年来句：指清代开国以来的年数，非确指。

④人事：此指武备力量。

⑤牛酒：古时用来犒劳、祭祀的两种物品。词中比喻国家上下尚处于晏然生活中，对危机毫无察觉。

⑥四塞：四边国境。

⑦千金剑：比喻极贵重的剑。

⑧万言策：旧时官吏呈送给皇帝的长篇奏章。

⑨呵壁：汉王逸《〈天问〉序》："屈原放逐，彷徨山泽，见楚有先王之庙及公卿祠堂，图画天地山川神灵，及古圣贤怪物行事，因书其壁，呵而问之，以渫愤懑。"滂沱：形容泪水流得多。

⑩愿替二句：《维摩经·文殊师利问疾品》载，佛说法时，城中五百长者子皆至，居士维摩诘故意称病不往。佛遣舍利弗及文殊师利等问疾。文殊问："居士是疾何所因起？"维摩诘答道："一切众生病，是故我病；若一切众生得不病者，则我病灭。"词中化用之，进一步言愿代替众生病。稽首：叩头至地，一种跪拜礼，为九拜中最恭敬者。

【赏析】

1894年，中日甲午战争爆发，堂堂中华竟败于"蕞尔小国"日本。腐败无能的清政府并与日本签订《马关条约》，割地赔款。同年6月，梁启超等在京会试，闻此消息，义愤填膺，发起了"公车上书"运动。此词大约作于此时。词中流露出来的郁闷激愤，劲势十足。表达出对国家危亡的强烈感慨。然而，济世的抱负没有办法得到实现，岁月蹉跎，一切只是成空。全词感情真挚，一片报国赤诚。

贺新郎

昨夜东风里，忍回首、月明故国①，凄凉到此！鹑首赐秦寻常梦，莫是钧天沉醉②。也不管、人间憔悴。落日长烟关塞黑，望阴山、铁骑纵横地③。汉帜拔，鼓声死。

物华依旧山河异。是谁家、庄严卧榻，尽伊鼾睡④！不信千年神明胄，一个更无男子⑤。问春水、干卿何事⑥。我自伤心人不见，访明夷、别有英雄泪⑦。鸡声乱，剑光起⑧。

【注释】

①月明故国：南唐李煜《虞美人》词："小楼昨夜又东风，故国不堪回首月明中。"

②鹑首二句：汉张衡《西京赋》："昔者大帝悦秦缪公而觐之，飨以钧天广乐，帝有醉焉，乃为金策，锡用此土，而剪诸鹑首。"鹑：星宿名，南方朱雀七宿的总称。又古以为鹑首为秦之分野，故用鹑代称秦地。

③阴山：在今内蒙古境南，西起河套，东北接内兴安岭。

④庄严卧榻二句：岳珂《桯史》载宋太祖曰："江南亦何罪，但天下一家，卧榻之侧，岂容他人鼾睡耶？"

⑤一个更无男子：陈师道《后山诗话》载，蜀亡，蜀后主宠姬花蕊夫人有

诗云："君王城上竖降旗，妾在深宫那得知。十四万人齐解甲，更无一个是男儿。"

⑥问春水：马令《南唐书·冯延巳传》："元宗尝戏延巳曰：'吹皱一池春水，干卿何事？'"

⑦明夷：指代日本。

⑧鸡声二句：用东晋祖逖闻鸡起舞典。

【赏析】

此词作于光绪二十八年(1902年)，即《辛丑条约》签订的次年，当时作者流亡在日本横滨。词上片写对故国的怀念、对国事的忧虑。下片抒发救亡图存的壮志。当时的中国，面临着被列强瓜分的危局。此词反映出作者强烈的民族意识和民族情感，"位卑未敢忘忧国"，一腔忧国忧民之心喷涌而出，虽英雄憔悴，犹壮心不已。后人评云："其词精神尤在于虎步龙骧之作。"

秋　瑾

秋瑾(1875－1907年),原名闺瑾,小字玉姑,字璿卿,号旦吾,留学日本时易名瑾,字竞雄,别署鉴湖女侠。浙江山阴(今绍兴)人。1903年随丈夫王子芳由湖南移居北京。1904年留学日本,次年加入光复会和同盟会。1905年底回国。在上海创办《中国女报》。1907年在绍兴任大通学校校长,与徐锡麟谋划皖浙两省武装起义。事败被捕,就义于绍兴轩亭口,年仅三十一岁。孙中山誉之为“巾帼英雄”。其诗词文,慷慨激越,充满英雄主义与理想主义情调,独树一帜。今人辑有《秋瑾集》。

鹧鸪天

祖国沉沦感不禁,闲来海外觅知音①。
金瓯已缺总须补②,为国牺牲敢惜身?
嗟险阻,叹飘零,关山万里作雄行。休
言女子非英物③,夜夜龙泉壁上鸣④。

【注释】

①海外:指日本。1904年秋瑾东渡日本。

②金瓯:金的盆、盂等器物。常用以喻指国土。《南史·朱异传》:“我

国家犹若金瓯，无一伤缺。”

③英物：杰出人物。《晋书·桓温传》：“生未期而太原温峤见之，曰：‘此儿有奇骨，可试使啼。’及闻其声，曰：‘真英物也！’”

④龙泉：宝剑名。详见本书敦煌曲子词《生查子》注。壁上鸣：相传宝剑遇警或遇不平之事时，常于匣中作龙虎之吟。参见王嘉《拾遗记》。

【赏析】

从词意推敲，此词当作于秋瑾留学日本时，其时作者在日本访求革命同志，探寻救国方略。词旨表现一代女杰甘为祖国捐躯的豪迈胸襟，充分显示了作者光辉峻洁的人格和无与伦比的英勇精神。

满江红

肮脏尘寰[①]，问几个男儿英哲？算只有蛾眉队里[②]，时闻杰出。良玉勋名襟上泪[③]，云英事业心头血[④]。醉摩挲长剑作龙吟[⑤]，声悲咽。

自由香，常思爇[⑥]。家国恨，何时雪？劝吾侪今日[⑦]，各宜努力。振拔须思安种类[⑧]，繁华莫但夸衣玦[⑨]。算弓鞋三寸太无为[⑩]，宜改革。

【注释】

①尘寰：指人世间。

②蛾眉:指代女性。

③良玉:即秦良玉(1574—1648年),明石柱宣抚使马千乘之妻。四川忠州(今忠县)人。夫死代任其职,所部号“白杆兵”。明天启元年(1621年)率兵北上抵御后金。崇祯三年(1630年)又入援京师,有战功。

④云英:即沈云英。浙江萧山人。明道州守备沈至绪女。曾从其父镇压明末农民起义。父为张献忠部所杀,她从敌营夺回父尸,据城抵抗,被朝廷授予游击将军。

⑤摩挲:抚摸。龙吟:用龙泉剑鸣典,见上词注。

⑥爇(ruò):燃烧。

⑦吾侪:我们女同胞。

⑧安种类:安定民族社稷。作者《警告中国两万万女同胞》有云:“我们自己要不振作,到国亡的时候,那就迟了。”

⑨衣玦:衣服首饰,这里泛指女性饰品。玦:有缺口的玉环。

⑩弓鞋三寸:旧时妇女缠足,足小者仅三寸,所著鞋为弓形,故缠足妇女脚小者有“三寸金莲”之说。这里用来指代束缚女性的种种陈规陋习和封建礼教。

【赏析】

此词作于作者留学日本以后,表现了作者对传统重男轻女观念的反叛。首二句寥寥数语,便足令天下所有苟且偷生而匍匐于满清铁蹄之下的男子无地自容。作者自觉地将女性的解放与国家的命运联系在一起,充分肯定了女性同样是社会进步和革新的重要力量,在当时可谓是石破天惊、振聋发聩。

李叔同

李叔同(1880－1942年),初名文涛、成蹊,继名岸,号叔同,一号息霜,又号苦李、晚晴老人。出家后法名演音,号弘一。平湖(今属浙江)人。随母住天津,后赁居上海。南洋公学毕业后,光绪三十一年(1905年)赴日本,入东京上野美术专门学校,攻西洋绘画和音乐。与留日同学组织"春柳剧社",并加入同盟会。回国后,加入南社。先后任教于天津模范工业学校、浙江省立第一师范学校、南京高等师范学校。民国七年(1918年)于杭州虎跑寺出家为僧,继受戒灵隐寺,专修律宗。弟子辑有《弘一法师文钞》。

满江红

皎皎昆仑[①],山顶月、有人长啸[②]。看囊底、宝刀如雪,恩仇多少。双手裂开鼷鼠胆[③],寸金铸出民权脑[④]。算此生、不负是男儿,头颅好。

荆轲墓,咸阳道[⑤]。聂政死,尸骸暴[⑥]。尽大江东去[⑦],馀情还绕。魂魄化成精卫鸟[⑧],血花溅作红心草[⑨]。看从今、一担好山河[⑩],英雄造。

【注释】

①皎皎：明亮貌，指下句中的月光。昆仑：山名，在西北。

②长啸：撮口发出悠长清越的声音。

③鼷鼠：最小的一种鼠。《魏书·汝阴王传》：“胆若鼷鼠。”

④民权：清光绪三十一年，孙中山在《民报发刊词》中阐明“三民主义”，其一为“民权”。

⑤荆轲墓二句：据宋敏求《长安志》卷十六载，荆轲墓在陕西蓝田县西北三十里。此言咸阳道，泛指关中一带。

⑥聂政死二句：《史记·刺客列传》载聂政刺杀韩相侠累后，自杀而死，“韩取聂政尸暴于市”。

⑦大江东去：化用苏轼《念奴娇》：“大江东去，浪淘尽、千古风流人物。”

⑧魂魄句：化用了精卫填海的故事。

⑨红心草：《异梦录》载，相传唐代王炎“梦侍吴王，闻葬西施，生（王炎）应教为诗曰：‘满地红心草，三层碧玉阶。春风无处所，凄恨不胜怀。’”后用以为美人遗恨之典。

⑩一担好山河：相传明建文帝朱允炆（1399－1402年在位）出家后，有“收拾起大地山河一担挑”之诗句流传。

【赏析】

作者早年言辞激烈，戊戌政变时即被当道视为康（有为）、梁（启超）同党。留学日本期间，更为活跃。其人才情纵横，通中、英、日、意四国文字，演剧、篆刻、诗词、书画，无一不精，早期用于宣传革命。此词鼓吹革命，气概豪迈，放开死生，一腔爱国赤诚之心，拳拳可见。末句或亦隐见弘一法师后来之因缘。

吕碧城

吕碧城（1883－1943年），原名贤锡，字圣因，一字兰清，法号宝莲。安徽旌德人。家学渊源，早年丧父，家产被恶族霸占，寄养天津舅父家。因欲转至女学学新学，离家出走。任《大公报》编辑，旋充北洋女子公学总教习。交游广泛，曾与秋瑾相会，一见如故。后往上海，进修英文之余与洋人角逐贸易，盈利颇丰。1920年赴美国哥伦比亚大学习美术。1926年起，游历法、英、德、意、奥和瑞士等国，在瑞士日内瓦居住近十年，其间皈依佛法。第二次世界大战起，经美洲回香港，病卒。其词可谓近代女词人第一，多前无古人之杰构奇作。著作有中英文各十种，合名《梦雨天花室丛书》。诗词有《碧城诗》《晓珠词》等。

满江红

感怀

晦暗神州，欣曙光一线遥射。问何人，
女权高唱，若安达克[1]？雪浪千寻悲业海[2]，风潮廿纪看东亚。听青闺挥涕发狂言，君休讶。

幽与闭，长如夜。羁与绊，无休歇。扣帝阍不见[3]，怀愤难泻。遍地离魂招未得，一腔热血无从洒。叹蛙居井底愿频违[4]，情空惹。

【注释】

①若安：今译罗兰夫人(Jeanne-Marie Phlipon Roland de Platiere，1754－1793年)。法国女革命党人，吉伦特派主要领导者之一。少年时受过良好教育，1780年与罗兰结婚。其时法国革命波涛汹涌，夫妇俩积极参与吉伦特派的幕后决策活动，遂成为该派领袖。后与雅各宾派发生激烈冲突。罗兰夫人于1793年6月被捕，同年11月在巴黎被处死。达克：今译贞德(Jeanne d'Arc，约1412－1431年)。英法百年战争时法国女民族英雄。出身农民家庭。1428年10月，英军围攻巴黎以南的奥尔良城，妄图侵占整个法国。当此民族危急关头，贞德往见查理王子，获准带兵前去解围。经过浴血奋战，1429年5月，终于打败围城英军，同时北上收复了不少失地。后与英军及其同盟者作战时不幸被捕，查理坐视不救，英军将其交给教会法庭审判，以异端和女巫罪，被处火刑而死。

②业海：佛教谓种种恶因如海，致使人沉溺，故云。

③帝阍：天门。扬雄《甘泉赋》：“选巫咸兮叫帝阍，开天庭兮延群神。”李善注引服虔曰：“令巫咸叫呼天门也。”

④蛙居井底：谓见识短浅狭隘。《庄子·秋水》：“井蛙不可以语于海者，拘于虚也。”

【赏析】

因近代资产阶级革命的兴起，作者仿佛看到了女性扬眉吐气的曙光。为此，她激动不已，奔走呼告，积极探寻谋求妇女解放的革命道路。然而，面对根深蒂固的封建势力，以及由此而来的羁绊，她似乎也有志难遂，愤怀难泄，内心异常苦闷。此词系有感而发，生自肺腑，内心躁动的革命激情跃然纸上。词作于1904年春，作者时居天津大公报馆，积极著书立说，倡扬女权。5月10日，《大公报》首次刊发此词，立即引起极大社会反响。一时，各界名流纷纷唱和响应，成就当时文坛一段佳话。

破阵乐

欧洲雪山以阿尔伯士为最高[①]，白琅克次之[②]，其分脉为冰山，馀则苍翠如常，但极险峻，游者必乘飞车 Teleferique，悬于电线，掠空而行。东亚女子倚声为山灵寿者，予殆第一人乎？

混沌乍启[③]，风雷暗坼，横插天柱[④]。骇翠排空窥碧海[⑤]，直与狂澜争怒。光闪阴阳，云为潮汐，自成朝暮。认游踪、只许飞车到，便红丝远系[⑥]，飚轮难驻[⑦]。一角孤分，花明玉井[⑧]，冰莲初吐。

延伫。拂藓镌岩，调宫按羽[⑨]，问华夏，衡今古。十万年来空谷里，可有粉妆题赋[⑩]？写蛮笺[⑪]，传心契[⑫]，惟吾与汝。省识浮生弹